KB141489

이동기의 한길

이동기의

한 길

한스컨텐츠

서문

곧고 깨끗한 한길을 가겠습니다

정치 활동을 하면서 늘 느끼는 아쉬움이 한 가지 있습니다. 저의 진심을 터놓고 이야기할 시간이 부족하다는 것입니다. 주어지는 만남의 시간이 짧기에, 제가 지역 발전과 한국 정치에 대해 어떤 비전을 품고 뛰고 있는지를 소상히 설명하기 어려웠습니다. 또한 그리 길지 않은 세월 동안 제가 무엇을 바라보며 어떻게 살아왔는지를 허심탄회하게 털어놓을 기회를 얻지 못했습니다.

그래서 책을 쓰기로 마음먹었습니다. 그런 점에서 이 책은 저와 속초·고성·양양의 주민분들과의 속 깊은 대화라 할 수 있습니다. 졸필이지만 제 진심을 있는 그대로 옮기고자 애썼습니다.

첫 장에는 저의 정치 이력과 정치관을 담았습니다. 두 번째 장에는 저의 정치 철학이며 이상인 '어머니 정치'에 대해 썼습니다. 저는 어머니의 애절한 사랑, 그리고 어머니를 잘 섬기려는 자녀의 효심이 정치의 근본이 되어야 함을 믿습니다. 세 번째 장에서는 지금까지 제가 살아온 삶을 돌아보았습니다. 인생을 논하기에는 한참

연륜이 짧습니다. 하지만 제 삶의 여정을 통해 저를 더 잘 이해하실 수 있을 것입니다. 네 번째 장에는 속초·고성·양양이 변화하고 발전해야 할 방향과 방법을 실었습니다. 정치적 리더십이 변화한다면 우리 지역은 그 잠재력을 실현하여 모든 곳에서 부러워할 위대하고 아름다운 발전을 이룰 것입니다.

저는 수많은 분께 보답할 길 없는 은혜를 입으며 성장했습니다. 이 자리를 빌려 그 고마움을 전하고 싶습니다. 운동권 아들 탓에 늘 마음을 졸였던 어머니는 구속된 아들을 면회하고 한밤중에 들이닥쳐 집 안을 휘젓는 형사들을 참아내야 했습니다. 그리고 '노무현 빨갱이의 수하'라는 비난을 들으면서도 억울하다는 말씀 한마디 없으셨습니다. 어머니 고맙습니다. 어머니는 제 인생과 정치의 진정한 스승이며 모델입니다.

가난한 시민운동가를 남편으로 맞이하고 또 그가 험난한 정치의 길을 갈 때 묵묵히 격려하며 뒤에서 도와준 아내. 그 와중에도 집안을 챙기고 두 아이를 잘 키워냈습니다. 우리 시대의 진정한 슈퍼맨입니다. 존경하고 사랑합니다.

아버지와 함께 보내는 단란한 시간 없이 훌쩍 커버린 딸과 아들에게 미안하고 고맙습니다.

정치하는 동생 때문에 이런저런 오해와 불편을 겪으면서도 최고의 후원자로 제 곁에 있어준 두 형께도 감사합니다.

그저 친구라는 이유 하나로 크고 작은 행사를 마다하지 않고 함께해준 친구들, 힘겨워할 때마다 곁에서 다독거리며 동틀 때까지 소주잔을 기울이며 같이 웃고 울어준 이들에게도 깊은 감사의 정을 전합니다.

시민운동과 정치를 하면서 같은 뜻을 세우고 함께 고초를 겪으며 싸워온 선후배, 당원들께 가슴 뛰는 동지애를 느낍니다. 보이게 때로는 보이지 않게 보내준 성원을 잘 알고 있습니다. 그 마음 하나하나에 고마움을 전하고 싶습니다.

제가 사랑하는 속초·고성·양양 주민들. 저를 지지하든 지지하지 않든 저를 눈여겨보고 관심을 가져주셔서 감사합니다.

지금까지 그래왔듯 앞으로도 지역 발전의 한길, 깨끗하고 흐트러짐 없는 한길을 가겠습니다.

이제는 제가 잘 모시겠습니다.

2019년 겨울의 길목에서

이동기 드림

차례

1장

한길 정치

어느 하루

지역위원장의 중앙 정치

아직 어스름이 가시지 않았다. 여명이 어두운 공기를 조금씩 밀어내고 아침을 불러들이는 중이다. 서늘한 바람이 옷깃을 스쳐 얼굴과 목덜미에 와닿는다. 상쾌한 느낌에 머리가 점점 맑아진다. 속초시외버스터미널이다. 첫차로 서울에 가기 위해서이다.

나는 동서울행을 골랐다. 수도 없이 서울을 오가며 알게 된 것이 하나 있다. 출퇴근과 겹치는 혼잡한 시간대에 서울 인근을 지나기에는 동서울행이 그나마 덜 밀린다. 좌석에 앉아서 수첩을 펼쳤다. 빼곡히 쓰인 글씨를 보며 또 한 번 생각을 가다듬었다.

비록 원외 위원장이지만
지역과 중앙 정치를 잇는 가교 역할을 헌신적으로 담당하고 있다.

지역의 중요한 사업 추진을 논의하기 위해 장관과 주무국장을 만나러 가는 일이다. 이들을 제대로 설득하고 우리 지역 사람들이 원하는 때에 원하는 방향으로 사업을 추진하려면 논리가 탄탄해야 한다.

나는 몇 가지 포인트를 되짚었다. 큰 공연을 앞둔 배우가 리허설을 하듯 입을 오물거리며 혼자 이야기를 이어나갔다.

공식 일과가 시작되지 않은 시간이지만, 장관과 국장은 회의실에서 나를 반갑게 맞아주었다. 같은 사안을 두고 세 번째 만남이다. 장관과 국장은 사업의 필요성에 대해서는 공감하지만, 속도에서는 이견이 있었다.

나는 그 입장을 충분히 이해한다. 전국 모든 지역이 각자가 가장 시급하다고 주장할 터이니 말이다. 그렇다고 해서 적당히 물러서는 건 곤란하다.

"몇 차례 간곡히 말씀드렸듯이, 이미 약속된 사업입니다. 더 늦추는 것은 곤란합니다. 우리 지역의 숙원입니다. 승인과 예산 배정을 신속하게 해주십시오."

나는 정중하면서도 간곡하게, 그렇지만 당당함을 잃지 않고 말했다.

"이 위원장이 하도 드나들어 우리 부처 문지방이 닳겠습니다. 긍정적으로 검토하고 이번 주 안에 구체적인 안을 만들겠습니다."

드디어 장관의 입에서 애타게 바라던 답변이 나왔다. 그동안 이 일에 간절한 마음으로 매달려왔다. 수시로 정부 부처 실무 담당자나 국장과 통화했고, 직접 장관을 만난 것만 세 차례이다. 숱한 노력이 열매를 맺게 되어 반갑고 뿌듯함이 감돌았다.

한결 가벼운 마음으로 회의실을 나왔다. 시계를 보면서 발걸음을 재촉했다. 서울에 온 김에 몇 사람을 만나기로 미리 약속했기 때문이다.

택시를 타고 청와대로 갔다. 청와대 비서관과 행정관 몇 분과 함께 커피를 마셨다. 특별한 목적을 염두에 둔 자리는 아니지만, 나는 그 기회를 이용해 지역 현안 몇 가지에 관해 화제를 꺼냈다.

"하여튼, 이 위원장 알아줘야 해. 틈만 나면 지역 민원 이야기니…."

비서관 한 사람이 나를 보면 말했다. 하지만 귀찮다는 느낌은 아니다.

"잘 알고 있어요. 벌써 몇 번째 들었는데요. 이 위원장 열정을 봐서라도 잘 챙기겠습니다."

또 다른 비서관이 웃으며 말을 받았다.

짧지만 의미 있는 만남을 마무리하고 다시 택시를 탔다. 여의도로 향했다. 더불어민주당 당직을 맡고 있는 국회의원 두 분과 점심을 하기로 했다. 나는 그 자리에서도 역시 지역 사업 이야기를 꺼냈다.

"이 위원장, 지역을 위해서 그렇게 애쓰는 건 보기 좋은데…, 지역구 국회의원이 이건 내가 한 일이라고 주장하면…, 남 좋은 일만 하는 거 아네요."

사람 좋기로 유명한 국회의원 한 분이 나를 빤히 쳐다보며 물었다.

"그러면 어떻습니까! 우리 지역이 잘되는 일인데요. 그리고 진심은 통합니다. 결국 다 알아주시게 되어 있습니다."

나는 빙그레 웃으며 대답했다.

지역 민심과 함께

점심 후 서둘러 고속버스터미널로 향했다. 예전 내가 청와대 행정관으로 근무할 때 동료였던 몇몇 사람이 만나자는 전화를 해왔지만, 그럴 형편이 아니었다. 속초에서도 빡빡한 일정이 기다리고 있기 때문이다.

속초고속버스터미널에 도착하니 햇빛이 이미 이지러지기 시작했다. 시계를 보았다. 다행히 차가 많이 막히지 않아 약속한 시각까지 여유가 있다. 근처 커피숍으로 갔다.

법률상 정당의 지역위원회는 별도의 사무실을 운영할 수 없다. 이렇게 만든 정치 개혁의 취지에 충분히 공감한다. 하지만 이따금 불편함을 느끼는 건 어쩔 수 없는 일이다. 방문객을 만날 때는 커피숍 같은 곳을 주로 이용하곤 한다.

내가 만난 분은 이 지역의 어르신이다. 억울하고 답답한 사연이 가슴에 맺혀 있다. 때로는 격앙된 목소리로, 때로는 눈시울을 붉히며 응어리진 속내를 털어놓았다.

나는 잠잠히 들으면서 어떻게 하면 이분을 도와드릴 수 있을지를 생각해보았다. 이분의 주장은 정당하고 합리적이었다. 마땅히 문제가 해결되어야 하는데, 그동안 그러지 못했다. 하지만 내가 모르는 다른 상황이 있을 수도 있다.

민원을 들을 때는 신중해야 한다. 특히 서로 갈등하는 사안일 때는 더더욱 사려가 깊어야 한다. 목소리가 크다고 그쪽으로 쏠리면 부당한 선택을 할 수도 있다.

나는 사정을 자세히 알아본 후에 관련된 사람을 소개해드리겠노라고 했다. 이분은 이렇게 자신이 마음을 털어놓을 수 있고 자신을 믿고 들어주는 사람을 만난 것만으로도 묵은 체증이 풀리듯 속이 편안하다고 말씀하셨다.

커피숍을 나오니 어둠이 내려앉았다. 나는 또 다른 약속 장소로 향했다. 내가 소속된 모임 회원들이 저녁 식사를 하기로 했다. 감자탕에 소주가 곁들어진 조촐한 자리다. 오랜만에 만나는 얼굴들이 반갑다. 이른 아침부터 종종걸음을 한 탓에 소주 한 잔이 들어가니 피로감이 몰려왔다. 하지만 긴장을 풀어서는 안 된다. 나는 다시 마음을 다잡았다.

식사 자리에서 지역과 사회 쟁점에 대한 여러 이야기가 나왔다. 모인 사람들은 방향에 대해서는 공감했지만, 일을 풀어가는 방법을 두고는 가벼운 언쟁을 벌이기도 했다. 새로운 이야기도 있었다. 나는 그때마다 스마트폰을 꺼내 내용을 기록해두었다. 열띤 토론이 이어지던 자리가 끝났다.

벌써 한밤중이다. 더불어민주당 속초·고성·양양 지역위원장 이동기의 긴 하루가 끝나고 있다.

더불어민주당 속초·고성·양양 지역위원장

집권 여당 지역위원장의 책무

정치는 국회의원이 하는 것이라고 생각하는 사람들이 더러 있다. 이런 생각도 어느 정도 일리가 있다. 지역 대표자들이 의회에 모여서 국정 현안을 조율하며 입법 활동을 하는 것이야말로 중요한 정치 활동이다. 하지만 국회의원이 아니라고 정치 활동을 하지 못하는 것은 아니다.

지역 사회에서 시민운동을 하던 나는 2003년 열린우리당 창당 준비위원장을 맡은 이후 지금까지 줄곧 정당을 통한 정치를 해왔다. 지역민의 목소리를 듣고, 현안에 대한 올바르고 합리적인 대안을 제시하고, 지역의 숙원을 중앙당과 정부, 청와대에 전달하는 역할을 담당했다.

특별히 지역 숙원 사업을 풀기 위해서 동분서주했다. 고성군이 국내 최초로 해중경관지구로 최종 선정되기까지 김영춘 전 해양수산부 장관께 시쳇말로 애걸복걸했다. 거진읍에 이어 토성면 복합국민체육센터 사업비 90억 원을 확보하여 2020년 착공을 결정하기까지 고성군 공무원분들과 의기투합하여 정부 부처 장관과 담당자를 만나며 애를 썼다.

양양군 육아통합지원센터 설치가 대통령 직속 국가균형발전위원회의 2020년 생활SOC복합화사업에 선정되는 데도 힘을 보탰다. 양양교육지원청 재건과 양양경찰서 신설을 위해서도 노력했다. 양양교육지원청은 지역 사회에서는 필요성을 절실히 느꼈지만, 중앙부처는 냉담한 반응이었다. 학생 수와 학교가 줄어드는 와중에 별도의 교육지원청을 세울 필요가 없다는 논리였다.

나는 유은혜 교육부 장관을 직접 만나 상황을 설명하고 간곡히 청원했다. 교육지원청이 확정될 때까지 지속해서 교육부와 행정안전부 장관을 만나 설득할 것이다. 산불 지역 이재민 대학생을 위한 학자금 지원과 관련해서도 유은혜 장관을 만나 답을 받아냈다.

참여정부 청와대 비서실 행정관 시절 담당했던 군 철책 현대화 사업의 하나로 재개한 군 철조망 철거 예산 역시 지방자치단체 부담에서 국가 책임으로 전환되었고 2020년에도 활발히 진행되게 되었다.

플라이강원이 국제항공운송사업면허를 받아 양양국제공항을 허브로 하는 항공사로 자리 잡기까지 최문순 강원도지사, 김현미 국토교통부 장관과 숙의 과정을 거치며 힘을 보탰다.

오색케이블카사업이 환경부의 '부동의'로 중단된 것에 대해서는 큰 아쉬움과 아픔을 느낀다. 나는 양양군추진위원단과 함께 각계 각처를 발로 뛰며 사업 성사를 위해 누구보다도 열심히 노력했다. 그런데도 "이동기는 시민 단체 출신이라 오색케이블카사업에 반대한다"는 근거 없는 비난에 시달렸었다. 한편으로는 "이동기가 청와대와 정치권을 접촉하며 환경부 결정에 영향력을 행사하려 한다"는 비난까지 감수해야 했다.

환경부 '부동의' 이후 서로 책임을 전가하는 낯 뜨거운 광경이 지역 정치권에서 보인다. 자유한국당 국회의원은 박근혜 정부에서 승인한 것을 문재인 정부에서 발목 잡는다고 비난한다. 박근혜 정부의 오색케이블카사업의 '조건부 동의'의 여덟 가지 조건 중 몇 가지는 아예 사업을 하지 말라거나 도저히 조건을 충족시킬 수 없는 것이라는 게 추진단의 볼멘 목소리였다. 그렇다면 애초에 박근혜 정부에서 말도 안 되고 해결할 수 없는 조건을 단 것이다. 이 문제에 대해서는 시민사회와 지역 주민들의 공감대를 모아 현실적인 대응책을 마련하고 대안을 세워서 새롭게 추진해야 한다고 본다. 이에 대해서는 뒤에 더 자세히 설명하겠다.

비록 원외에 있지만, 나는 집권 여당의 지역위원장으로서 책임과 역할을 수행해왔다. 17년의 정당 정치와 청와대 근무 경험을 통해 형성한 인적 네트워크를 충분히 활용하고 발로 뛰는 성실함으로 사람을 만나며 지역 숙원 사업들이 더 빨리, 더 잘 추진되도록 애써왔다.

지금도 동해북부선 철도 연결, 동서고속화철도 조기 착공, 금강산관광 재개 등을 중요한 과제로 설정하고 이 목표를 이룰 수 있는 구체적인 방법을 찾아 노력을 기울이고 있다.

내 이름이 빛나지 않더라도 좋다. 지역이 올곧은 발전을 이룰 수 있다면 그것만으로 만족한다.

우수 지역위원회

속초·고성·양양 지역위원회는 더불어민주당의 여러 지역위원회 중에서 돋보이는 활동을 펼치는 곳으로 꼽힌다. 더불어민주당 중앙당이 전국 253개 지역위원회를 대상으로 시행한 우수 사례 공모전에서 우수 지역위원회에 선정되어 '베스트모범상' 수상자로

속초·고성·양양 지역위원회는 우수 지역위원회에 선정되어
당 대표로부터 표창장을 받았다.

2019년 전국 지역위원장 워크숍에서 이해찬 대표로부터 표창장을 받기도 했다.

속초·고성·양양 지역위원회는 민생 중심의 활동을 강화했다. 강원도 최초로 당정협의회를 개최해 정부·여당의 정책이 실질적으로 지역에 반영되고 지역 현안과 지역 주민의 목소리가 여당과 정부, 청와대까지 전달되도록 가교 역할을 감당해왔다.

당원의 결속력을 키우고 주민의 정치 참여를 이끄는 데도 힘을 쏟았다. 치맥 파티, 10월의 마지막 밤 음악회 등의 다양한 이벤트를 마련하여 당원과 주민이 함께 모이고 격의 없이 대화하도록 했다. 특히 청년들의 정치 참여와 관심도를 높이기 위해 200여 명의 회원이 참여하는 '이동기와 소통하는 청년들(이소청)'을 구성해 활동했다.

변화의 바람

더불어민주당 지역위원장으로서 보수 정당 일색이던 우리 지역에 불어온 새로운 변화의 바람이 반갑고 기쁘다. 그동안 색안경을 끼고 우리를 바라보시던 분들이 우리의 진정성과 역량을 인정하기 시작했다. 개혁 정치의 기반이 척박한 지역에서 오랫동안 지역민들과 부대끼며 헌신해온 정치인들과 당원들의 공로이다. 여기에 나도 한몫을 담당했다는 사실에 큰 자부심을 느낀다.

변화의 바람은 선거 결과로 나타났다. 2018년 전국동시지방선거에서 속초의 더불어민주당 소속 출마자가 전원 당선되었다. 시장과 2명의 도의원, 5명의 시의원이 나왔다.

고성에서는 역사상 최초로 더불어민주당 후보가 군수로 당선되었다. 또한 광역의원을 포함 3명의 기초의원을 배출했다. 양양군에서도 4명의 기초의원이 민주당 소속으로 군의회에서 다수를 차지하게 되었다. 속초·고성·양양에는 4명의 도의원이 있는데 모두 더불어민주당 소속이다.

이제 내 차례다.

속초·고성·양양에 불어온 변화의 바람을 더 크게 만들어야 한다. 보수 정당이 수십 년 지역구 국회의원을 독차지하다시피 해온 지역, 침체 속에서 돌파구를 찾지 못한 지역에 근본적 개혁과 혁신이라는 돌풍을 일으켜야 한다. 막 불기 시작한 변화의 바람을 더 크고 강하게 만드는 것이 더불어민주당 속초·고성·양양 지역위원장 이동기의 소명임을 가슴에 새기고 있다.

정치 입문기

현실 정치에 눈뜨다

2002년 봄, 지역에서 시민운동을 하던 나는 새로운 도전에 나섰다. 전국 시민사회단체연대회의에서 전국 지역의 시민 단체 활동가들을 대상으로 출마 제안이 있었고, 나도 여러 분과 고민 끝에 속초시의회 후보로 출마했다. 그 당시 기초의원 후보는 정당 공천을 하지 않았기에 '시민사회 후보' 등의 어중간한 이름으로 불렸다.

나는 열정적으로 시민운동을 해왔고 의미 있는 성과도 냈다. 2001년에 청초유원지사업으로 혈세를 낭비한 속초시장이 '밑빠진 독상'을 받는 데 힘을 보탰다. 그리고 정보공개시민운동 속초시 사

제1차 열린우리당 강원도당 연수회. 열린우리당 창당준비위원으로 정치에 입문했다.

무국장을 역임할 때 전국 최초로 지방자치단체장과 기초의회 의장을 대상으로 한 판공비 공개 소송을 진행해 대법원 승소를 함으로써 시민들이 자유롭게 지방자치단체장과 기초의회 의장의 판공비 공개를 요구하고 열람할 수 있는 길을 열었다.

하지만 시민운동 현장에서는 지역 사회의 근본적 변화를 가져오는 데 역부족을 느꼈다. 조례 하나 바꾸기도 쉽지 않은 현실과 맞서야 했기 때문이다.

시민사회의 목소리를 모아 제도 정치의 높은 담장을 넘어서는 절박한 과제라 생각했다. 시 행정을 감시하며 지역 정치를 바꾸고 지역의 건강한 발전을 가져오는 데 제도 정치의 힘이 필요하다는 판단이었다. 그래서 지역 시민사회단체가 추천한 후보들을 시의회로 보내고자 했다. 나도 그중 한 사람이었다.

이렇게 만 27세의 청년 이동기는 선거라는 치열한 현장에 첫발을 내디뎠다. 당시 경쟁한 최고령 후보가 72세였으니, 나는 그야말로 핏덩어리에 가까웠다. 결과는 낙선이었다. 이미 예상했던 일이었다. 준비 없이 갑자기 출마한 내가 이미 오래전부터 선거를 대비해 기반을 닦아온 후보들을 이길 수는 없었다. 도전 자체에 의미를 두었기에 말 그대로 담담했다.

돌이켜보면 그때 나는 기초의원 출마를 정치 입문이라고 여기지 않았고 시민사회운동의 연장으로 받아들였던 것 같다. 하지만 정치라는 세계가 어떻게 돌아가는지를 현장에서 직접 부대끼며 느끼는 계기가 되었다.

29세 국회의원 후보

그다음 해인 2003년 나는 본격적으로 정치에 발을 담그기 시작했다. 그 당시 개혁 세력들은 정당과 정치의 개혁을 부르짖으며 새로운 정당을 만들고자 했다. 2003년 11월 11일 열린우리당이 창당했다. 나도 정치 개혁의 대의에 깊이 공감했고 열린우리당 속초·고성·양양 창당준비위원장을 맡았다.

이듬해 2004년 4월에는 17대 국회의원 선거가 있었다. 만 29세의 나는 속초·고성·양양 지역구의 열린우리당 후보가 되었다. 그 무렵 노무현 대통령 탄핵 추진의 후폭풍으로 열린우리당 후보들이 약진했지만, 그 바람은 강원도까지 넘어오지 않았다. 홍천·횡성과 태백·영월·평창·정선 두 곳을 뺀 모든 지역에서 한나라당 후보가 당선되었다.

속초·고성·양양은 험지 중의 험지로 분류되는 곳이었다. 정동영 열린우리당 의장이 이른바 노인 폄하 발언이 나왔을 때는 지역에서 항의 집회에 가기 위해 출발하는 관광버스가 20대가 넘었다. 더욱

이 나는 신인이었다. 인지도가 낮고 변변한 조직도 갖추지 못했다.

26.26%를 득표하여 2위로 낙선했다. 현실 정치의 높고 견고한 벽을 새삼 느꼈다. 사람의 마음을 얻는 게 얼마나 어려운지 그리고 진심을 전하는 게 얼마나 어려운지를 체감했다.

선거 운동 하는 내내 열린우리당과 대통령, 그리고 나를 향한 원색적인 욕설과 술주정을 웃으며 감당해내야 했다. "빨갱이"라는 말은 수없이 들었다. 하지만 이렇게 거친 분들이 밉게 느껴지지 않았다. 모두가 나의 소중한 이웃으로 받아들여졌다. 다만, 진정 어린 마음을 보여줄 수 없는 게 아쉽고 안타까웠다.

절망하기보다는 나의 부족함을 겸허하게 받아들이며 몸과 마음을 새롭게 추슬렀다. 낙선 사례를 열심히 하는 게 첫 번째 일이었다. 나는 일찍이 낙선 사례 현수막을 걸었다. 당선자의 현수막보다 내 현수막이 먼저 걸렸다. 이것을 본 몇몇 사람이 나에게 축하 전화를 하는 웃지 못할 해프닝도 있었다. 지역 곳곳을 찾아다니며 주민들을 만나며 감사의 인사를 드리며 격려를 귀담아듣는 일도 잊지 않았다.

노무현 대통령과 함께

청와대 비서실 근무

2007년 2월부터 청와대 비서실 행정관으로 근무하게 되었다. 아내는 속초에 남겨두고 나 혼자 서울로 왔다. 여의도에 사는 선배 집에서 잠시 신세를 지다가 청와대 근처에 방을 하나 얻어서 생활했다.

지근거리에서 모시지는 않았지만, 말단에서나마 노무현 대통령을 보좌한다는 게 더없는 영광이었다. 노무현 대통령은 큰 인물이며 아름다운 사람이었다. 나라를 깨끗하고 균형 있게 발전시키고 잘못된 정치 구조를 근본적으로 개혁하려는 원대한 비전을 품었으며, 난관에도 아랑곳하지 않고 직접 부딪치며 돌파해나갔다.

인간적인 매력도 넘쳐흘렀다. 너른 가슴으로 사람을 품을 줄 알았으며 겸손하고 소탈했다. 그러면서도 멋과 기품을 잃지 않았다. 나같이 작은 자리에 있는 사람도 세심하고 다정하게 챙겨주었다. 청와대에 드문 강원도 사람이라며 나를 격려해준 기억이 잊히지 않는다.

노무현 대통령이 퇴임한 후 청와대에서 함께 근무했던 옛 동료들과 함께 봉화마을을 방문했다. 그날 함께 연꽃을 심은 후 막걸리를 마셨다. 털털하면서도 인자하게 웃으며 막걸리를 따라주던 모습이 머릿속에 깊이 새겨져 있다.

군 철조망 철거 사업이 눈에 띄는 성과를 내었을 때, 노무현 대통령이 속초를 직접 방문하여 축하 행사를 진행하기로 계획되었다. 2007년 7월 과테말라에서 2014년 동계 올림픽 개최지를 결정하는 IOC 총회 후로 일정이 잡혀 있었다. 하지만 평창이 떨어지고 러시아 소치가 개최지로 정해지면서 행사가 무산되고 말았다. 그때 철조망 제거에 대해 내가 직접 자세히 보고할 예정이었는데 취소된 것이 못내 아쉬움으로 남는다.

하지만 그 아쉬움은 비할 바도 아닌 큰 슬픔이 찾아왔다. 2009년 5월 23일 노무현 대통령의 서거 소식에 가슴이 찢겨나가는 듯한 비통함을 느꼈다. 곧바로 출발해서 밤늦게 임시 분향소에 도착했고 발인까지 그 자리를 지키며 오열했다.

퇴임 후의 노무현 대통령과 함께한 즐거운 한때.

노무현 전 대통령 같은 인물이 비극적인 죽음을 맞이하는 한국의 정치 현실에 분노가 치밀었다. 지금도 그때를 떠올리며 '다시는 그런 일이 반복되어서는 안 된다. 이것이 나의 중요한 책임 중 하나'라며 주먹을 불끈 쥐곤 한다.

가슴 아픈 목소리들

청와대에서 내가 맡은 직책은 민원제도개선 담당 행정관이었다. 청와대에는 직접 방문, 전화, 편지 등을 통한 개인과 기관, 기업 등의 민원이 쉴 새 없이 들어온다.

대부분이 지방자치단체나 정부 부처, 경찰과 검찰 등에서 해결되지 못한 사안이다. 그야말로 지푸라기 하나라도 잡는 심정으로 청와대에 사연을 호소한다. 집 나간 며느리를 찾아달라는 것부터 지체된 지역의 숙원 사업까지 다양한 민원을 검토하고 분류해서 담당 부처로 옮기는 것이 내 역할이었다.

나는 "귀하의 청원은 해당 부처로 이관되었습니다"라고 적힌 짧은 문서 한 장 보내는 식의 사무적 대응을 하지 않았다. 전후 사정을 자세히 알아보고 최선의 해결책을 찾기 위해 애썼으며 민원인에게 자세한 상황을 알려주었다. 절박한 상황을 흘려듣고 어설프

게 대응하는 건 상상도 할 수 없었다. 이런 나의 태도에 감동하는 분들을 만나며, 아픈 사연에 귀 기울이고 고통에 공감하는 것이 얼마나 가치 있는 일인지 깊이 깨달았다. 또한 이런 마음가짐을 완전히 몸에 익히게 되었다.

한 번은 중국에서 사업하는 분의 딱한 사정을 접했다. 업무로 한국에 왔다가 동업자에게 심한 폭행을 당했다. 그런데 경찰 조사를 하면서 가해자와 피해자가 뒤바뀌었고 꼼짝 못하고 처벌을 받을 처지라고 했다. 민원인의 말이라고 무조건 믿고 속단해서는 안 되기에 상황을 치밀하게 조사했다. 다행히 유력한 증거가 될 만한 CCTV 화면이 있었다. 경찰에서 이것을 놓쳤기에 억울한 일이 벌어진 것이다. 이분은 부당한 처벌의 위기를 넘겼고 경찰로부터 사과도 받아내었다.

동해안 군 철조망 철거

노무현 정부 때는 군 철조망을 걷어내는 사업이 활발하게 진행되었다. 1996년 강릉 잠수함 무장공비 침투 사건으로 중단되었던 철책 제거를 대통령의 의지로 재개한 것이다.

이 사업을 위한 TF가 조직되었고 나도 여기에 참여했다. 출신 지역이 고려되었기 때문이다. 나는 경계 기능이 사라진 군 철조망이 지역 주민에게 어떤 어려움을 주는지를 직접 겪어서 잘 알았다. 바로 우리 집 앞 바닷가도 철조망이 버티고 있었다.

동해안 철조망 철거는 60년 가까운 숙원이었다. 동해안 주민들이 원활한 경제 활동을 하려면 바다가 풀려야 한다. 그런데 몇몇 항구를 빼고는 철조망으로 둘러싸여 바다로 향하는 길을 가로막았었다.

국방부와 해양수산부 등의 관련 부처가 TF에 참여했는데 이들과 사업을 조율하는 데 어려움이 많았다. 특히 국방부 쪽에서는 철조망 철거를 최소화하자는 입장이었다. 그리고 철거된 곳에 경관형 펜스를 다시 설치하자는 의견을 내놓았다. 나는 경계를 위해 꼭 필요한 곳을 빼고는 대부분 철거하는 안을 제시했다. 경관형 펜스에 대해서는 강하게 반대했다. 동해안 주민에게 실질적인 효과가 없기 때문이다.

레이더, 경광등, 열 감지 카메라, VOD, 특수 망원경 등 첨단 장비를 이용해 경계의 질을 높이면서도 주민들의 숙원을 풀어주는 게 대안이었다.

남다른 의지를 품고 열심히 매달렸다. 방대한 자료를 수집해 근거를 만들고 국방부 관계자를 설득했다. 감정적으로 맞서지 않고 차분하고 온화한 태도로 대화했다.

당시 국방부 담당자였던 대령은 나에게 이렇게 말했다.

"이동기 행정관의 열정 때문에 정말 많이 양보했습니다. 애초 국방부 계획이 철거 보류가 10이었다면 2~3으로 조정했습니다."

이때 동해안 철조망이 많이 철거되었다. 10년도 더 지난 지금도 "철조망 철거 때 애써주어 고맙다"는 인사를 이따금 듣는다. 여전히 미흡한 부분이 남았지만, 흉물스럽게 바다를 막아섰던 철조망이 사라지고 시원하게 트인 바다를 보면서 긍지를 느낀다.

시련은 나를 흔들지 못한다

19대 국회의원 선거

2007년 말, 짧았던 청와대 비서실 행정관 근무를 마치고 속초로 돌아왔다. 2018년 봄에 치를 국회의원 선거를 준비하기 위해서였다. 처음에는 내가 출마하겠다는 생각은 없었다. 한 차례 낙선 경험만 있을 뿐, 나는 여전히 인지도와 조직이 약한 정치 신인이었다. 상대를 압도할 수 있는 중량감을 가진 유력 인사를 영입해 우리 지역의 국회의원 선거를 승리로 이끄는 것이 최선이라는 판단이었다.

그러나 이 시도는 무위로 돌아갔다. 그 당시 열린우리당과 대통합민주신당이 통합해 통합민주당이 탄생했는데, 전국적으로 지지도가 낮게 형성되었다. 대선 후보급 정치인들조차 지역구 당선을 낙관하기 어려운 형편이었다. 전통적 보수 정당 강세 지역인 속초·고성·양양에서는 통합민주당의 지지세가 훨씬 더 떨어졌다. 낙선이 뻔한 상황에서 출마하겠다고 나서는 거물 정치인이 없는 건 어찌 보면 당연한 일이었다.

하는 수 없이 내가 나서기로 했다. 예상했던 대로 선거 과정은 험난하기 그지없었다. 국회의원 선거는 4월에 치러지기에 후보자들은 겨울부터 준비를 시작한다.

추위와 맞서는 선거 운동이다. 그런데 그때의 겨울바람과 꽃샘추위는 유독 매섭게 느껴졌다. 어깨띠를 두르고 함께 거리를 누빌 사람도 태부족이었다. 만나는 사람 가운데 많은 이가 내가 속한 정당과 나를 원색적으로 비난했다. 오해와 편견으로 인한 것이었지만, 웃으며 참아내는 것밖에는 달리 할 일이 없었다. 냉소가 차가운 바람에 실려 피부를 파고들었다. 살을 저미는 듯 아팠다. 하지만 나는 그 아픔을 뚫고 희망이 솟아나는 것을 보았다. 마치 푸른 새싹이 얼어붙었던 땅을 뚫고 피는 것 같았다.

'터무니없는 오해로 나와 내가 속한 정당을 욕하는 사람들도 결국 변하게 될 것이다. 진정성을 품고 더 많이 만나고 이야기를 들으며 진심을 털어놓으면 이들도 마음의 문을 열 것이다. 시간이 필요할 뿐이다.'

비로소 현실 정치에 눈을 뜬 느낌이었다.

2008년 4월 9일. 나는 아내와 함께 일찌감치 투표를 마치고 설악산 목우재를 걸었다. 흐드러지게 핀 벚꽃이 비를 내리는 것처럼 흩날렸다. 낙선을 예감한 후보의 앞날을 축복하는 듯했다. 나는 아내에게 말했다.

"여보, 선거 결과 득표율이 15%를 넘지 않으면 선거 운동 비용을 되돌려받지 못하니 빚을 갚느라 고생을 좀 해야 할 거야."

아내는 아무런 대답 없이 웃기만 했다.

결과는 낙선이었다. 득표율은 16.58%였다. 강원도 전체에서 민주당은 2명의 당선자를 냈다. 낙선자 중 득표율 15%를 넘은 사람은 나를 포함해 3명밖에 되지 않았다. 하지만 우리 선거 운동 캠프에는 비통함을 찾기 힘들었다. 모진 선거 운동 과정을 무사히 치르고 15%라는 마지노선을 지켰다는 데 긍지를 느꼈다. 선거 운동 비용 보전이라는 현실적 이유도 있지만, 우리 지역이 변할 수 있다는 새로운 가능성과 희망을 확인했기 때문이다.

우와싱싱하다횟집

낙선 후유증이라는 게 있다. 실패의 자괴감 같은 것은 시간이 지나

막걸리를 권하는 노무현 대통령.
'바보 노무현'으로 불리며 험난한 정치 역경을 이겨온 그를 닮고 싶다.

면 얼마든지 이겨낼 수 있다. 하지만 다시 사람을 만나며 바닥으로 되돌아가는 게 생각보다 쉽지 않다. 나도 낙선해보니 선거에 진 사람들이 유학 등을 이유로 외국으로 나가는 이유를 짐작할 수 있었다. 특정한 직업 없이 4년을 기다리는 것도 어지간한 스트레스가 아니다.

선거 후 횟집을 열었다. 2008년 국회의원 선거를 치르며 긴 호흡과 장기적인 전망을 둔 정치를 하겠노라 결심했었다. 그러려면 지역을 떠나지 않고도 가족의 생계를 유지해야 한다. 식당을 하면 사람을 많이 만날 수 있고, 시민운동이나 정당 활동을 하는 사람들의 사랑방도 제공할 수 있으니 적합하겠다고 생각했다.

횟집 운영은 각오했던 것보다 훨씬 어려웠다. 돈을 벌어들여 매월 꼬박꼬박 직원 월급과 식재료 대금, 임대료, 각종 세금과 공과금을 내는 것부터 호락호락하지 않았다. 직원들을 잘 이끌어 한마음으로 열심히 일하는 데는 탁월한 역량이 필요했다. 나와 아내가 식당 일에 매달려 있으니, 아이들도 큰 걱정이었다. 다행히 어머니와 함께 살 때였기에, 어머니가 아이들을 잘 돌보아주셔서 한시름 덜 수 있었다. 하지만 아이들이 한창 자라고 예민할 무렵에 부모가 가까이서 함께하지 못한 것은 두고두고 아쉬움으로 남았다.

7년 가까운 횟집 운영 경험은 나에게 큰 자산이 되었다. 돈을 많이 벌었다는 뜻은 아니다. 시민운동이나 정치와는 다른 세계를 직접 부딪치며 알게 되었다. 자영업을 하는 사람들의 어려움이 무엇인지, 아이를 맡기지 못해 발을 동동 구르는 부모들의 심정이 어떤지를 같은 처지에서 깊이 느낀 것이다.

다시 서는 법을 배우다

2008년 국회의원 선거 낙선 이후, 나는 지역에서 버티며 주민들과 함께 호흡하고 바닥을 다지자고 결심했고, 그 결심에 따라 흔들림 없이 열심히 활동했다. 두 번의 선거를 경험하면서 현실 정치의 벽을 느꼈지만, 어떻게 하면 저 벽을 무너뜨릴 수 있는지 또한 알게 되었다. 이제 그것을 실천에 옮기면 되었다.

2012년 국회의원 선거가 다가오자 나는 출마 준비를 시작했다. 이번에는 해내겠다는 의지와 자신감이 넘쳤다. 하지만 내가 예상하지 못했던 상황이 생겼다. 무소속 송훈석 국회의원이 강원도지사 보궐선거를 앞둔 2011년 4월에 민주당에 입당한 것이다. 당적을 여러 번 바꾼 논란의 당사자이지만, 당의 외연을 넓힌다는 면에서 환영할 만한 일이었다. 나는 지역위원회 차원에서 그의 입당을 환영하는 보도자료를 써냈다.

국회의원 선거에 출마하기 위해 버거운 상대를 경선에서 이겨야 하는 과제가 주어졌다. 중앙당 차원에서 경선 없는 전략 공천이 논의되기도 했지만, 우여곡절 끝에 당내 경선이 열렸고 나는 송훈석 후보에게 패배해 2012년 국회의원 선거에 출마하지 못했다.

나는 당원의 선택을 담담하게 받아들였다. 아쉬움에 젖을 때가 아니었다. 그해 말 대통령선거가 치러지기 때문이다. 나는 내 자리에서 문재인 후보의 당선을 위해 고군분투했다. 하지만 결과는 낙선이었다.

내가 선거에서 낙선하고 경선에서 떨어졌을 때와는 비교도 되지 않는 절망감과 비애가 몰려왔다. 심지어 '박근혜가 문재인을 떨어뜨리고 대통령이 되는 나라에서 정치를 한다는 게 무슨 의미가 있나?' 하는 회의감마저 들었다.

시련은 나를 잠시 흔들었을 뿐 꺾어버리지는 못했다. 고열과 망치질을 견디고 나온 강철처럼 나는 더 단단해졌다. 나는 지역 활동을 멈추지 않았고 2014년 지방선거 때는 최문순 강원도지사 후보의 영동권 선대본부장을 맡아 열정을 쏟았다.

2016년 국회의원 선거 때는 전략 지역에 주어지는 비례대표를 지원했다. 강원도 그중에서도 속초·고성·양양은 민주당의 힘이 약한 곳이다. 험지 중에 험지이다. 이런 지역에서 청춘을 바친 젊은 정치인에게 새로운 등용문이 열리지 않을까 내심 기대했었다. 그렇지만 나는 비례대표 순번을 받지 못했다.

변화의 바람을 일으키다

2016년 가을부터 2017년 봄까지, 대한민국에는 정의를 향한 열망이 촛불이 되어 타올랐다.

그 힘은 국정농단의 핵심인 대통령을 권좌에서 끌어내려 감옥에 가두었다. 나도 그 촛불 중 하나였지만, 승리를 기뻐할 틈이 없었다. 다가오는 대통령선거에서 새로운 정부를 세워 국민의 열망을 받아 안아야 했다.

나는 문재인을 대통령으로 만드는 데 기꺼이 한 몸을 바치겠노라고 결단했다. 문재인 후보 '새로운 대한민국 위원회' 팀장, 문재인 후보 선거대책위원회 '10년 힘' 팀장을 맡아 캠프에 합류했다. 때마침 아이들이 단기 어학연수를 받을 기회가 생겨, 아내와 두 아이를 필리핀으로 보내고 나는 문재인 후보의 선거 운동에 모든 것을 쏟아부었다.

새로운 나라를 세우는 열망으로 지칠 줄 모르고 일했다. 무리한 일정을 잡아서 강행군했다. 쓰러져 죽더라도 정의로운 대한민국의 한 줌 거름이 된다면 그것으로 행복하다고 생각했다. 2017년 5월 9일 대통령선거에서 마침내 문재인 후보가 당선되었고, 다음날인 5월 10일부터 임기를 시작했다.

선거 후 대선 캠프에 참여한 이들은 각자 이후 진로를 고민했다.

나는 청와대 비서실이나 공공기관, 공기업 등의 자리를 탐내지도 요구하지도 않았다. 사실 청와대를 포함해 여러 곳에서 연봉과 조건이 좋은 제안이 있었지만, 나에게는 명확한 목표가 있었기 때문이다. 내가 원하며 내가 서야 할 곳은 더불어민주당 속초·고성·양양 지역위원회였다.

2018년 제7회 전국동시지방선거에서 더불어민주당 강원도당 전략본부장과 속초·고성·양양 선거대책위원장을 맡아 여러 후보자와 함께 뜨거운 선거 운동을 펼쳤다. 선거 운동 기간 내내 우리 지역에 불어온 변화의 바람을 느낄 수 있었다. 거친 땅을 오랫동안 힘들여 일구어 씨앗을 뿌린 농부가 비로소 수확을 바라보는 심정이었다.

앞에서 이야기한 것처럼 더불어민주당 속초·고성·양양 지역은 큰 성과를 내었다. 속초에서는 출마한 후보자가 전원 당선되었다. 속초시장과 2명의 도의원, 5명의 시의원을 배출했다. 고성에서는 군수와 1명의 도의원, 3명의 군의원이 나왔다. 고성에서 민주당 계열의 군수가 당선된 것은 사상 최초였다. 양양에서는 3명의 군의원이 당선되고, 무소속 당선자가 입당해 군의회에서 다수를 차지하게 되었고 도의원도 1명 당선되었다.

이 벅찬 변화의 바람을 이어갈 사람이 바로 나임을 절감하고 있다. 보수 정당이 득세하며 오랜 기간 침체했던 지역에 변화의 활력이 생기기 시작했다. 이것을 기반으로 새롭고 근본적인 개혁과 발전의 청사진을 제시하고 끌어나갈 리더십이 필요하다. 지역을 바로 세울 큰 정치인이 이제는 꼭 나와야 한다.

깨끗하고 흔들림 없는 한길 정치

깨끗한 한길

“지금껏 국회의원 선거를 두 번이나 치르고 정당 지역위원회 활동을 쭉 해왔는데, 기둥뿌리가 몇 개는 빠졌겠어요. 빚을 많이 지지 않았어요?”

나를 염려하는 한 분이 이렇게 물었다.

하지만 나는 현재 빚이 없다. 지금껏 나를 이끌고 후원하고 함께 해준 수많은 분께 사랑의 빚이 있을 뿐이다. 돈이 드는 정치나 선거를 하지 않았기 때문이다.

물론 선거를 치르기 위해서는 일시적으로 큰돈이 든다. 기탁금

문재인 대통령과의 한때. 정치 시작 후 작은 흔들림도 없이 한길을 향해왔다.

도 내야 하고 홍보물도 만들어야 한다. 이때 가족과 친지, 선후배, 지인들의 도움을 받았다. 잠시 돈을 빌렸다가 선거가 끝난 후 갚는 방식이었다. 기탁금과 선거 운동 비용은 15% 이상을 득표하면 전액 되돌려준다.

나는 두 번의 국회의원 선거에서 모두 15% 이상을 득표했기에 기탁금을 되돌려 받고 선거 운동 비용도 보전받았다. 그래서 빌린 분들께 갚아줄 수 있었다. 법이 정한 선거 운동 비용 이상을 쓰지 않았기에 가능한 일이었다.

돈이 없어서 힘들기보다는 돈으로 오염된 정치 문화 때문에 훨씬 더 힘들었다. 2004년 국회의원 선거 때는 공천을 두고 나와 경쟁하던 후보자가 금권 선거 혐의로 중도 사퇴하고 이후 처벌을 받는 것을 보았다. 젊은 정치 신인으로서 엄청난 충격을 받았다. 선거를 치르면서도 돈을 표로 연결하려는 부패한 관행을 수없이 목격했다. 자신이 영향력을 행사하는 단체나 모임을 거론하며 뻔뻔하게 돈을 요구하는 사람도 더러 만났다.

하지만 나는 돈 선거의 유혹에 굴복한 적이 없다. 나는 발로 뛰며 사람을 만나는 바닥 선거 운동을 선호한다. 하루에 1만 명, 10만 명, 100만 명도 마다하지 않는다.

젊음에서 비롯된 강인한 체력이 나의 힘이다. 분 단위로 쪼개 행사장을 찾고 일일이 인사하며 진심을 전한다. 웃으며 대화하고 친밀감을 높인다.

부패한 선거 관행은 후보자나 유권자 모두에게서 사라져야 한다. 거액을 쓰고 공직을 얻은 사람은 그 돈을 되찾기 위해 자리를 이용해 부정을 저지를 가능성이 더 커진다. 돈 선거가 정치적 부정부패로 이어지는 연결 고리가 여기에 있다.

나는 가난하지만, 돈에 휘둘리지 않고 깨끗한 길을 걸어왔다. 그리고 변함없이 그 깨끗한 한길로 나아갈 것이다.

흔들림 없이

나는 한국 정치 문화에서 부족한 부분을 꼽으라면 정당 정치가 제대로 구현되지 않는 점을 들고 싶다. 정당은 사상과 이념을 함께하는 사람들이 모여서 정권을 잡고 자신의 정치적 이상을 구현하려고 조직한 단체이다. 민주주의 사회에서 혼자의 힘으로는 이상을 펼칠 수 없기에 뜻을 같이하는 사람이 힘을 합친다. 정당이야말로 민주주의의 가장 중요한 요소로써 그 근간을 형성한다.

그런데 현실 정치에서는 정당의 중요성이 간과되기 일쑤다. 공직 선거에서 당선되거나 후보자로 공천받기 위해 가장 유리한 정당이 어딘지를 기웃거리는 사람도 많다. 그 당이 무엇을 추구하는지에 대해 관심조차 없다. 심지어는 자신과는 확연히 다른 가치를 지닌 정당에 참여하기도 한다.

이렇듯 정당을 출세의 수단으로 생각하는 사람들에게는 선거에 당선되는 것만이 관심사가 된다. 즉, 자신의 펼치고자 하는 정치적 비전 없이 자리를 얻는 데만 혈안이 된다. 이런 정치인은 지역과 국가를 책임지지 못한다. 무엇을 어떻게 할지를 알지 못하며 오직 자기 영달만 추구하기 때문이다.

당적을 숱하게 옮겨 다니는 정치인이 있다. 물론 당적을 바꾸는 게 금지해야 할 악행은 아니다. 그러나 정치인이라면 자신이 왜 당적을 옮기는지에 대한 명확한 이유를 설명할 수 있어야 한다. 자신의 정치적 주의와 주장이 바뀐 것인지 아니면 정당이 그 이념을 실현하지 못해서 떠나는 것인지를 당당하게 말할 수 있어야 한다. 단지 선거에 유리한 국면을 만들려고 정당을 옮기는 사람들에게는 유권자가 표로 심판하는 문화가 생겨야 할 것이다.

나는 2003년 열린우리당 창당준비위원을 맡은 후부터 한 번도 흔들림이 없었다. 당이 통합하거나 혁신하면서 이름을 바꾸었을 뿐이다. 정당은 내 철학과 이념의 근거지이다. 부모님과도 같다. 내가 당선되지 못하더라도 혹은 출마하지 못하더라도 나는 더불어민주당과 함께하며 정당의 가치를 실현하기 위해 혼신을 다 바칠 것이다.

정의롭고 행복한 나라의 비전은 개인의 출세 따위와는 비교할 수 없이 숭고하다.

“나는 일찍이 우리 독립 정부의 문지기가 되기를 원했거니와 그것은 우리나라가 독립국만 되면 나는 그 나라의 가장 미천한 자가 되어도 좋다는 뜻이다.”

백범 선생의 고백을 가슴에 새기고 흔들림 없이 한길로 나아간다.

레인메이커

변화를 이끌 큰 인물

레인메이커(rainmaker)는 영어 뜻 그대로 '비를 만드는 사람'이다. 가뭄으로 메마르고 갈라진 대지 위에 시원한 단비를 불러오는 사람을 뜻한다.

국가나 지역, 조직의 근본적인 발전을 창조하는 이가 레인메이커다. 지금 속초·고성·양양에 절실히 필요한 존재다.

우리 지역 어르신들은 화려했던 과거를 꿈처럼 가슴에 묻고 있다. 관광 중심 도시로 전국에서 온 여행객들의 발길이 끊이지 않던 곳, 오징어와 명태 등 수산 자원이 풍부한 곳, 산업이 발전하고 활

나는 큰 인물을 기다리지 않는다. 스스로 큰 인물이 되려 한다.

력이 넘치던 곳은 지나간 추억이 되어버렸다. 관광객은 늘어났지만, 관광객의 소비와 정주하는 거점 관광객은 오히려 줄어들었고 수산 자원은 고갈 위기를 맞고 있다. 젊은이들이 일자리를 찾아 흩어지면서 생기를 잃은 지역이 되고 말았다.

이런 현실은 정치 역량의 부재에서도 그 원인을 찾을 수 있다. 정치가 지역을 위해 제 역할을 하지 못했다. 그래서 활력을 잃은 지역에 생기를 불어넣을 새로운 정치 리더십, 이른바 '큰 인물'이 나오기를 바라왔지만, 그 소망은 이루어지지 않고 있다.

우리 지역에 변화를 불러올 큰 인물은 어떤 사람이어야 할까? 나는 세 가지를 생각한다. 첫째, 지역과 함께하고 지역을 사랑하는 사람이다. 둘째, 젊은 리더여야 한다. 셋째, 풍부한 경험과 역량, 인적 네트워크를 갖추어야 한다. 이 세 요건을 동시에 갖춘 사람이 있을까? 찾기 어려워 보인다. 특히 젊음과 풍부한 경험은 함께 존재하기 힘든 요소처럼 느껴진다.

인물이 되려고 마음먹고 힘쓰는 사람

독립운동가 도산 안창호 선생은 나라를 잃고 도탄에 빠진 젊은이들에게 "우리 중에 인물이 없는 것은 인물이 되려고 마음먹고 힘

쓰는 사람이 없는 까닭이다. 인물이 없다고 한탄하는 그 사람 자신이 왜 인물 될 공부를 아니 하는가?"라고 외쳤다.

우리가 기다리는 큰 인물은 멀리서 백마를 타고 초연히 나타나지 않는다. 우리 속에서 길러져야 한다. 나는 스스로 속초·고성·양양의 큰 인물이 되겠다고 결심했고 그 목표를 삶 속에서 구체적으로 실천하고 있다.

나는 지역과 함께해왔으며 지역을 사랑하는 사람이다. 지역에서 고등학교를 졸업한 후 서울로 떠나 대학을 다니고 수십 년 고향과는 상관없이 살다가 어느 날 갑자기 지역에 나타나는 사람들이 있다. 대개가 고향을 지역구로 삼아 선거에 출마하려는 사람들이다. 이런 사람들이 무조건 나쁘거나 무익하지 않다. 고향 바깥에서, 외국이나 대도시에서 쌓은 역량을 지역에서 펼칠 수 있다면 의미 있는 역할을 할 수 있을 것이다.

하지만 이런 이상적인 경우가 드문 것이 현실이다. 지역을 선거구로만 여기는 정치인이 의외로 많다. 더 좋은 기회가 생기면 언제든 고향을 등질 사람들이다. 이들은 지역에 대해 잘 모른다. 지역에서 함께 살며 부대끼고 주민들과 대화할 기회가 없었기 때문이다. 지역민들이 무엇을 슬퍼하고 무엇을 기뻐하며 무엇을 간절히 바라는지를 깨닫지 못한다.

나는 우리 지역을 잘 안다.

'안다'는 차원을 넘어서 하나가 되었다. 나에게 지역은 삶의 터전이다. 곳곳마다 삶의 애환이 묻어 있다.

나에게 지역 주민은 선거구의 유권자가 아니다. 한 사람 한 사람이 모두 살가운 이웃이다. 속초에서 태어나 초등학교부터 대학까지 모두 속초에서 다녔다. 지역 사회에서 시민운동을 했으며 정치에 입문한 후 20년 가까이 지역을 근간으로 한 정당 정치 활동을 펼쳐왔다.

나는 늘 가까이서 지역 주민의 목소리를 들어왔다. 심지어 나와 내가 속한 정당을 비방하는 말이라 할지라도 흘리지 않고 마음에 담아두었다.

지역 주민의 목소리가 나에게 체화되었다. 나는 지역 주민들이 언제 눈물을 흘리며 무엇을 가장 아파하는지 안다. 무엇을 원하는지도 잘 알고 있다. 정당 지역위원회라는 제한된 틀 속에서나마 상처를 치유하고 소망을 이루려 노력하고 있다.

나는 지역을 사랑한다.

지역이 잘되는 방안을 찾는 게 나의 최고 관심사이다. 외국 도시들의 발전 사례를 보며 연구하는 일을 게을리하지 않는다. 이 과정을 통해 속초·고성·양양이 근본적으로 변화하고 비약적인 도약을 이루어낼 청사진을 그리게 되었다. 그 원대한 비전을 이루어낼 기회가 주어지기를 바라며 도전한다.

젊지만 경험 많은 정치인

이 시대는 젊은 정치인을 원한다. 프랑스는 에마뉘엘 마크롱을, 캐나다는 쥐스탱 트뤼도를, 벨기에는 샤를 미셸을, 에스토니아는 위리 라타스를 지도자로 선택했다. 낡은 관행과 정체를 벗고 새로운 발상으로 변화를 이루려는 소망 때문이다.

이 책을 쓰는 2019년 11월 현재 나는 만 45세이다. 20~30대의 청년은 아니지만, 상대적으로 젊은 정치인에 속한다. 젊은 발상과 감각, 열정이 넘치며 나보다 더 어린 청년들과 격의 없이 소통한다. '이소청'이라는 모임이 만들어졌는데, 200명 가까운 지역 젊은이가 여기에 참여하고 있다. 이들과 대화하면서 관심사를 공유하며 젊은 창조력과 에너지를 정치 현장으로 끌어오고자 애쓴다. 또한 젊음의 무기인 강인한 체력을 갖추었다. 청대산을 오르며 영랑호를 걷고, 피트니스센터에서 달린다.

젊음의 약점은 부족한 경험이다. 젊은이들은 다양한 상황을 겪어보지 않았기에 중요한 고비마다 당황하거나 허둥대며 때로는 무너지기도 한다. 이것은 역량의 부족으로 이어진다.

나는 젊지만 풍부한 경험을 갖춘 독특한 사례라 할 수 있다. 17년 가까운 정치 이력을 가지고 있다. 그동안 두 차례의 국회의원 선거를 치렀으며 여러 차례의 지방선거와 대통령선거를 뒷받침했다. 그러면서 정치에 단련되었다. 정당 지역위원회를 기반으로 다양한 활동을 해왔으며 지역 숙원을 해결하는 데도 앞장서왔다. 앞에서 말했듯 의미 있는 성과들도 여럿 이루어냈다.

나의 정치적 강점 가운데 하나는 폭넓은 인적 네트워크이다. 학생운동과 시민운동, 지역 정치를 하는 과정에서 청와대와 정부 부처, 강원도, 민주당에 걸쳐 폭넓은 인맥을 쌓았다. 단순한 이해관계로 엮인 관계가 아니라 탄탄한 동지애로 결속했기에 이들은 나의 진정성과 의지를 이해하며 내 이야기에 귀 기울인다.

이것은 야당 의원이 도저히 따라올 수 없는 영역이다. 각계에 걸쳐 폭넓은 네트워크를 갖춘 힘 있는 여당 의원이 지역 발전에 더 크게 이바지할 수 있다. 더불어민주당은 다음 대통령선거에서도 승리해 정부를 구성할 것이다. 진정한 발전을 원한다면 무엇을 선택할지 자명하다.

나는 큰 인물을 기다리지 않는다. 스스로 큰 인물이 되려 한다. 침체에 빠진 우리 지역을 전성기 때보다 더 활기가 넘치는 곳으로 변화시킬 레인메이커가 될 것이다. 도산 선생이 말한 '인물이 되려고 마음먹고 힘쓰는 사람'이 더욱 성장하도록 많은 분이 채찍질해 주기를 바라 마지않는다.

2장

어머니의 이름으로

어머니 정치

몇 해 전 놀란 가슴을 쓸어내린 적이 있다. 큰 병고 없이 건강하시던 어머니께서 갑자기 병원에 입원하셨기 때문이다. 얼굴 쪽에 마비가 왔는데 검사해보니 뇌졸중에 따른 뇌경색이었다. 다행스럽게도 정도가 심하지 않아 수술하지 않고 며칠 입원 치료 후 회복되셨다.

어머니가 누워 계신 침상 옆에서 손톱을 깎아드렸다. 지금껏 어머니의 손톱을 깎아드린 적이 있었던가? 기억이 나지 않았다. 어머니의 손등은 거북딱지처럼 피부가 갈라져 있다. 굵은 손마디에서는 인고의 세월이 느껴졌다.

어머니의 갑작스러운 병환이, 그리고 이토록 거친 손이 나에게서 비롯된 것 같은 자책감이 밀려왔다. 학생운동을 하다가 구속되었

어머니의 마음을 담은 정치, 어머니를 존경하고 돌보는 정치야말로
한국 정치의 희망이 될 것이다.

던 일, 수배 중일 때 사복 경찰관이 집 안에 들이닥쳐 신발을 신은 채 온 집 안을 들쑤셨던 일로 얼마나 놀라셨을까. 그 후로도 남들처럼 안정된 직업을 갖지 않고 시민운동을 한다, 정치를 한다며 고생하는 내 모습을 늘 안쓰러워하지 않으셨던가.

손톱을 다 깎고 어머니의 손을 가만히 쓰다듬었다. 따뜻한 기운이 가슴속 깊은 곳까지 와닿았다. 이제껏 어머니 손 한번 제대로 잡아드리지 못했다니…. 나는 참으로 모자란 사람이다. 문득 예전에 읽었던 시 한 편이 떠올랐다.

엄마는 그래도 되는 줄 알았습니다

심순덕

엄마는
그래도 되는 줄 알았습니다
하루 종일 밭에서 죽어라 힘들게 일해도

엄마는
그래도 되는 줄 알았습니다
찬밥 한 덩이로 대충 부뚜막에 앉아 점심을 때워도

엄마는

그래도 되는 줄 알았습니다

한겨울 냇물에 맨손으로 빨래를 방망이질해도

엄마는

그래도 되는 줄 알았습니다

배부르다 생각 없다 식구들 다 먹이고 굶어도

엄마는

그래도 되는 줄 알았습니다

발뒤꿈치 다 해져 이불이 소리를 내도

엄마는

그래도 되는 줄 알았습니다

손톱이 깎을 수조차 없이 닳고 문드러져도

엄마는

그래도 되는 줄 알았습니다

아버지가 화내고 자식들이 속썩여도 전혀 끄떡없는

엄마는

그래도 되는 줄 알았습니다

외할머니 보고 싶다

외할머니 보고 싶다, 그것이 그냥 넋두리인 줄만

한밤중 자다 깨어 방구석에서 한없이 소리 죽여 울던 엄마를 본 후론

아! 엄마는 그러면 안 되는 것이었습니다

어머니를 향한 애잔한 마음을 담은 이 시는 두 가지 뼈아픈 깨달음을 주었다. 하나는 어머니의 가족을 향한 희생이다. 또 하나는 우리가 그 희생을 너무나 당연하게 받아들이고 있다는 사실이다. 나도 어머니가 자식들을 위해 피와 살을 내주는 것을 자연스럽게 여겼음을 깊이 반성한다.

'어머니, 이제 제가 잘 모시겠습니다.'

입 밖으로 꺼내지는 않았지만 잠들어 계신 어머니를 향해 마음속으로 말했다. 그리고 다짐했다.

'정치인으로서 어머니뿐 아니라 어머니 같은 지역 어르신들, 지치고 움츠러든 지역 사회 그리고 이 나라를 잘 모시겠습니다.'

『상록수』를 쓴 항일 문학가 심훈 선생은 옥에 갇혀서 어머니에게 쓴 편지에서 어머니에 대한 극진한 사랑과 함께하지 못하는 데

대한 안타까움을 전하면서도 "어머니보다 더 크신 어머니"를 말하고 있다. 어머니에 대한 애틋한 사랑과 보은의 마음을 나라와 민족을 향한 헌신과 사랑으로 확장한 것이다.

나는 '어머니 정치'를 생각한다.

그것은 자녀를 아끼고 사랑하며, 자녀가 잘되는 일이라면 희생을 마다하지 않는 어머니의 마음에서 비롯된다. 그리고 세월의 풍파를 맞으며 가족을 위해 희생해온 어머니의 삶에 대해 진정 어린 고마움을 느끼고 그 어머니를 잘 모시려는 굳은 의지와 실천을 담고 있다.

어머니의 마음을 담은 정치, 어머니를 존경하고 돌보는 정치야말로 한국 정치의 희망이 될 것이라 믿는다.

나의 어머니

모든 것을 내어주는 희생

어머니는 양양군 손양면 수산리에서 태어났다. 지금 그곳은 한국에서 가장 아름다운 항구 가운데 하나로 꼽히는데 '요트마리나'를 비롯한 관광업이 발전 중이다. 어머니는 5남매 중 셋째였다. 위로 오빠가 둘, 아래로 남동생이 둘이었다.

부농은 아니었지만, 제법 농사를 크게 짓는 집인 데다 하나밖에 없는 딸이라고 귀애할 수도 있었을 터인데, 외할아버지와 외할머니는 그러지 않았다. 아마도 남아 선호의 시대적 분위기를 별 문제의식 없이 그대로 따랐던 것 같다. 외삼촌들과 달리 유독 어머니에게

만 교육을 시키지 않았다.

어머니는 어릴 때부터 두 오빠가 학교에 가면 두 동생을 돌보며 집안일을 거들었다. 더 자라면서는 농사일까지 맡아 했다. 이따금 심부름으로 오빠와 동생들의 학교에 다녀올 일이 생기면 교문 앞에 서서 학교 안의 광경과 또래들의 밝은 모습을 부러운 눈길로 우두커니 바라보았다고 한다.

부모님과 오빠, 동생을 뒷바라지하는 것을 소임으로 알고 묵묵히 살아오던 어머니는 스물셋 나이에 육군 부사관이었던 아버지와 중매결혼을 했다. 강원도 통천에서 태어난 아버지는 어릴 때 할아버지와 함께 월남한 실향민이다. 그 무렵에는 정신질환을 앓는 아버지의 사촌 동생도 함께 살았다고 한다.

결혼 후에도 어머니의 삶은 크게 달라지지 않았다. 사는 곳이 양양에서 속초로, 섬기고 받들어야 할 사람이 할아버지와 아버지, 아버지의 사촌 동생으로 바뀌었을 뿐이다. 삼형제를 낳아 돌보고 기르는 것도 고스란히 어머니의 몫이었다. 하지만 어머니 그 시대에 여성으로 태어난 모진 운명을 묵묵히 감당했다.

출가외인이 된 어머니는 외가에서 유산을 상속할 때도 소외되었다. 언젠가 외삼촌들은 어머니에게 집안에 처리할 일이 있다며 인감증명과 인감도장을 가져오라고 했다. 어머니는 그대로 따랐는데, 나중에 알고 보니 유산 상속을 포기하는 문서에 도장을 찍었던 것이다. 어머니만 빼고 네 명의 외삼촌이 유산을 나누어 가졌다.

이 무렵에는 내가 사춘기였는데, 자세한 사정을 알고는 화가 나서 한동안 외가에 발길을 끊기도 했다. 하지만 시간이 더 흘러 그것이 그 시대에는 그리 특별하지도 않은 일이었음을 알았고 외삼촌들을 더는 원망하지 않게 되었다. 그런데 평생 어머니를 홀대했던 외할머니도 세상을 떠나실 무렵에는 애타게 어머니를 찾았고 어머니를 의지했다.

아버지는 군대 생활을 그만두고 오징어 배를 탔다. 나중에는 어머니와 함께 명태 덕장도 운영했다. 그런데 우리 집에 함께 살던 정신질환을 앓던 당숙이 갑자기 공격해서 아버지가 한쪽 눈을 잃고 말았다. 이것은 아버지에게 깊은 상실감을 주었다. 그렇지 않아도 북녘의 갈 수 없는 고향, 천석꾼으로 잘살던 시절을 애타게 그리워했었는데, 실명까지 하게 되자 마음이 걷잡을 수 없이 무너졌을 터이다. 아버지는 늘 술을 가까이했고 폭력적인 모습도 보였다.

절망으로 흔들리는 아버지 대신 어머니가 실질적으로 가계를 책임져야 했다. 명태 덕장을 온전히 맡아 운영하며 억척스럽게 일했다. 어두컴컴한 새벽, 목이 말라 물을 마시러 나왔을 때면 어머니는 덕장 귀퉁이에서 명태를 손질하고 있었다. 지금껏 일하고 있는 것인지, 아니면 일찍 일어나 일을 시작한 것인지도 알 수 없었다. 어린 나는 그런 어머니를 물끄러미 바라볼 뿐이었다. 어쩌면 "엄마는

나의 어머니. 나는 어머니에게서 정치의 본질을 배웠다.

그래도 되는 줄 알았"던 것일까.

어머니가 봄 꽃놀이며 가을 단풍놀이 같은 나들이를 가는 것을 본 적이 거의 없다. 딱 한 번, 내가 초등학교 때 동네 계 모임에서 놀러 갈 때 함께 갔는데, 이웃들의 강권에 못 이겨 억지로 따라나서면서도 우리 형제의 점심과 챙겨야 할 덕장 일 때문에 발걸음이 떨어지지 않아 주저하던 기억이 아직도 역력하다.

어머니의 눈물

살면서 여러 차례 어머니를 아프게 했다. 그중에서 몇 가지가 떠오른다.

대학에 다니던 1995년에는 5·18 민주화운동 특별법 제정을 위한 시위의 불길이 전국적으로 타올랐다. 전국 대학생 동맹휴업 투쟁이 벌어졌고 나도 여기에 주도적으로 참여했다. 민주자유당 정재철 의원 사무실 항의 방문과 집회를 벌였는데, 집시법과 화염병 처벌법 위반으로 수배를 받았고 결국 구속 수감되었다. 이때 민주사회를 위한 변호사모임(민변) 임종인 변호사와 이덕우 변호사님이 변호를 맡아주었다.

막내아들이 구속되었다는 청천벽력 같은 소식을 듣고 어머니가 구치소로 달려왔다. 놀란 가슴을 진정시키지 못하는 어머니를 향해 나는 너무나 천연덕스럽게도 “어머니, 저는 잘못한 게 하나도 없습니다. 저를 자랑스럽게 생각하셔야 합니다”라고 말했다. 물론 지금도 그 생각에는 변함이 없다.

이후 민주화운동 보상 심의 대상자로 선정되어 사면 복권되었으니 사회로부터 그 생각을 공인받은 셈이다. 하지만 놀라고 걱정스러워하는 어머니의 마음을 헤아리고 위로하는 게 먼저였는데, 젊은 의기만 앞세운 게 후회로 남았다.

그다음 해부터 나는 한국대학총학생회연합(한총련)에서 활동했다. 그해 8월 13일부터 8월 20일까지 한총련 소속 대학생 2만여 명이 연세대학교 학내로 진입한 경찰에 포위되어 이과동 건물 등 교내 시설에 갇혔다.

나도 이때 현장에 함께 있었다. 백골단이 투입되어 대학생들을 강제 해산시키며 약 5,000명을 강제 구인했는데, 다행히도 무사히 현장을 빠져나올 수 있었다. 그러나 이 일로 한총련에 대한 수사 압박이 심해졌다. 나도 지명 수배 대상이 되었고 전국을 떠돌며 도피 생활을 했었다.

이 무렵 사복 경찰이 우리 집을 압수 수색했다. 나중에 들으니 한밤중에 느닷없이 형사들이 들이닥쳤고 신발을 신은 채로 집 안에 들어와 시커먼 발자국을 찍어대며 곳곳을 헤집었다고 한다. 어머니는 중죄를 지은 사람처럼 사시나무 떨듯 떨며 이 광경을 지켜보았다는데 얼마나 놀라고 두려웠을까. 아들이 또 구속되지 않을지 노심초사했을 어머니를 생각하면 지금도 마음이 아프다.

이후 우리 사회에 형식적 민주주의의 기틀이 어느 정도 잡히면서 더는 그런 일이 생기지 않았다. 그러나 사람의 마음속에 깊이 파고든 편견과 색깔론이 사라지기까지는 시간이 더 필요했다. 2007년 초부터 나는 청와대 비서실 행정관으로 일하게 되었다. 그때 몇몇 이웃분들이 모여 어머니와 이야기를 나누었던 모양이다. 누군가가 어머니에게 축하의 인사를 건네자, 다른 사람이 버럭 화를 내면서 이렇게 말했다고 한다.

"노무현 빨갱이하고 같이 일하는 게 무슨 좋은 일이야. 그놈도 빨갱이군."

이런 밑도 끝도 없는 비난은 한두 번이 아니었지만, 그날 어머니는 유독 큰 상처를 받았다고 한다. 당신이 보기에 막내아들은 나라와 지역을 사랑하며 섬기는 마음으로 학생운동, 시민운동, 정치를 해왔는데, '빨갱이'라니. 당신의 답답함이나 억울함보다는 부당한 냉소를 견디며 살아야 할 내가 몹시 안타까웠다고 한다.

어머니가 더는 눈물을 흘리지 않게 하는 게 나의 인생 목표 중 하나가 되었다. 사회 제도뿐 아니라 사람들의 의식 속에서 진정한 민주주의가 꽃피어야 한다. 또한 자식들이 잘되기를 바라는 모든 어머니의 마음을 받아 안아, 지역이 발전하며 행복을 이루도록 최선을 다하는 것이 내 역할일 것이다.

어머니에게 정치를 배운다

가족의 삶을 짊어진 채 억척스럽게 생활하시면서도 어머니는 인심을 잃지 않으셨다. 선하고 경위 바르게 사셨고 누군가와 척을 지는 적이 없었다. 지금도 양양과 속초에서 어머니를 아는 어르신들을 자주 만나는데, 이분들의 기억 속 어머니는 선량하고 순수한 모습이다.

모진 고생 끝에 어머니는 아들 삼형제를 반듯하게 길러내셨다. 사업을 하는 큰형도, 목회를 하는 작은형도, 정치를 하는 나도 어머니의 사랑이라는 큰 빚을 지며 성장했다. 이 빚은 갚으려 해도 갚을 수가 없다. 세월이 가면서 눈덩이처럼 불어나기 때문이다.

잠시라도 놀면 몸이 아프다며 손에서 일을 놓지 않는 어머니. 자신을 위해서는 시장 통에서 허름한 몸뻬 하나 사거나 국밥 한 그릇 사 드시는 데도 인색하지만, 자식들 챙기고 손자들 용돈 주는 데는 한없이 너그러운 어머니.

가부장제와 남녀 차별의 설움을 고스란히 안고 살다가, 시집온

지 55년. 자신의 뼈와 살과 피를 떼어내 자식들을 키웠고, 집안을 세우는 데 한평생을 바쳤다. 그러고도 더 내어줄 것이 없는지를 돌아보는 어머니에게서 나는 삶을 배우고 정치를 배운다.

어머니는 지금도 말씀하신다.

"항상 머리를 숙여라. 겸손하게 살아라."

"어렵고 힘든 분을 돌아보아라."

"어르신들을 뵈면 반갑고 정중하게 인사드려라."

"일찍 일어나 부지런하게 하루를 살아라."

보이지 않고 낮은 자리에서 굵은 눈물과 땀방울을 흘리며 평생을 희생해온 어머니. 내 어머니뿐 아니라 이 땅의 수많은 어머니가 가족을 위해 자기 삶을 고스란히 내어주었다. 정치는 이런 어머니를 닮아야 한다. 당신들의 삶 전체로 일깨워주신 소중한 교훈. 그것이야말로 한국 정치의 본보기가 아닐까?

그 눈물을 닦아드릴게요

상처를 어루만지며

나는 내 어머니를 보면서 이 땅의 모든 어머니, 특별히 속초·고성·양양의 어머니들에 대해 숙고하곤 한다. 이분들이 살아온 길, 차별받은 상처, 희생과 인내의 삶은 서로 닮았다. 마음이라는 걸 꺼내서 직접 볼 수 있다면 어떨까. 찢어지고, 시커멓게 타고, 녹아 내려앉고, 재밖에 남지 않은 어머니들의 마음 앞에서 한없이 처연해지리라.

하지만 어머니들은 그 응어리를 풀어놓지 않는다. 고초와 희생으로 점철된 인생을 보상해달라고 목소리를 높이지도 않는다. 지금도 여전히 자식들이 잘되기만을 바라며 당신들에게 마지막 남은 한 방울까지 짜내어 기쁘게 내놓는다.

정치는 이런 어머니들의 눈물을 닦아주며 위로하고, 그분들을 편안하게 하며, 그분들이 진정 원하는 것을 이루도록 돕는 일이라 믿는다. 하지만 지금까지 정치는 그러지 못했다. 정치를 부와 출세의 도구로 여기는 사람들이 득세했으며 불의와 부정부패를 서슴지 않고 저질렀다.

이미 생채기가 가득한 어머니들의 가슴에 또다시 굵은 대못을 박았다. 세월호 사건 이후 수많은 정치인의 언행을 보면, 그들이 이 어머니들의 심정을 헤아리는 공감 능력이 전혀 없음을 발견하게 된다.

어머니의 마음, 어머니를 돌보는 마음을 지니지 못한다면 한국 정치는 한 발자국도 나아가지 못한다. 그렇다면 어머니를 위한 정치는 어떤 것일까? 기초연금을 늘리고 병원과 시설을 짓고 여가 활동을 지원하는 등의 복지 정책을 먼저 떠올릴 수 있다. 이 일은 매우 시급하고 중요하다.

고령 사회로 접어든 한국에서, 특히 고령화 정도가 극심한 속초·고성·양양 지역에서는 절박한 사안이다. 이 일에 대해서 머리를 맞대고 고민해야 하며 효과적인 방안을 찾아 시행해야 한다. 하지만 여기에 머물러서는 안 된다. 어머니들이 진정으로 원하는 바는 당신들의 여유와 편안함보다는 자식들의 행복에 있기 때문이다.

이 땅의 모든 어머니의 눈물을 닦아주는 정치를 하고 싶다.

침체에 빠진 지역에 활력을 불어넣어 자녀들이 행복하게 살아가는 모습을 흐뭇하게 바라보게 하는 것이야말로 속초·고성·양양 어머니들을 위하는 일이다. 지역의 산업과 경제가 굳건하게 일어서고 일자리가 늘어나면 일터를 찾아 어쩔 수 없이 정든 고향과 어머니를 떠나는 사람이 줄어들 것이다. 이렇게 어머니들이 자녀들과 가까이 지내면서 손자·손녀의 재롱을 마음껏 즐기며 살게 하는 것. 그것이 진정으로 어머니를 위한 정치이다.

어머니는 우리 편

초등학교 4학년 때의 일이다. 담임선생님이 우리 동네로 가정 방문을 오셨다. 그때 내가 길 안내를 맡았다. 몇몇 친구의 집으로 모시고 다녔다. 그런데 담임선생님은 내가 친구들에게 "선생님 보면 인사하지 마라"고 했다는 이야기를 어디선가 들었던 모양이다. 나는 그런 말은 물론 비슷한 표현조차 한 적이 없다. 다음날 나는 담임선생님께 호된 야단을 들었고, 심한 체벌을 당했다. 참을 수 없이 억울하고 모욕적이었다.

선생님께 억울한 질책을 받은 이튿날 학교에 가지 않았다. 깊은 상처로 발걸음이 떨어지지 않았다. 어머니는 내가 왜 학교에 가지 않으려는지 그 이유를 물었다. 나는 어머니에게 자초지종을 설명했다. 어머니는 내 이야기를 잠자코 듣더니 옷을 챙겨 입고 학교로 향했다.

예나 지금이나 자기 자녀를 맡은 교사는 함부로 대하기 힘든 두려운 존재이다. 더욱이 보잘것없는 집안의 무학의 어머니는 담임선생님을 상대하기가 몹시 부담스러웠을 것이다. 하지만 어머니는 당당했다. 아들의 말을 추호의 의심도 없이 믿었기에 부당한 처사에 대해 떳떳하게 항의할 수 있었다. 그날 나는 어머니야말로 '강한 내 편'이라는 사실을 새삼 확인했다.

정치는 어머니의 이런 점을 배워야 한다. 눌리고 답답한 속사정에 진심으로 공감하고 그 목소리를 듣고 신뢰하며 같은 편이 되어야 한다. 잘못된 것이 있다면 당당히 맞서는 힘과 용기가 필요하다. 어머니들이 자녀의 든든한 버팀목이 되듯 정치인은 지역민이 마음껏 의지할 수 있는 울타리가 되어야 한다. 이런 역량은 어머니의 마음을 닮은 진정한 신뢰와 애정에서 비롯된다.

어머니 잘못이 아닙니다

고등학교 시절, 어처구니없는 실수를 한 적이 있다. 가출을 했다.

성적이 나빠 비관하거나 가정에 불만을 느꼈다거나 하는 그럴싸한 이유는 없었다. 친구 따라 강남 간다고, 서울에 가겠다는 친구를 별생각 없이 동행한 것이 화근이 되었다. 서울의 봉제 공장에서 일하며 공장에 딸린 냉기 가득한 기숙사에서 벌벌 떨며 칼잠을 잤다. 집을 나온 지 사흘째 되던 날에야 어머니에게 전화했다. 수화기 너머로 어머니의 울음소리가 전해졌다. 그제야 철없던 소년은 자신이 무슨 짓을 했는지 알게 되었다. 어머니는 울먹이며 말했다.

"동기야, 내가 잘못했다. 빨리 돌아오너라."

"어머니가 잘못한 게 어딨어요. 지금 당장 갈게요."

내 잘못조차 당신의 잘못으로 여기는 어머니의 심정을 떠올리며 나는 발걸음을 돌릴 수밖에 없었다.

내 어머니뿐 아니라 이 땅의 수많은 어머니가 자녀들의 실책이나 불행을 자신의 탓으로 받아들인다. 전부를 주고도 더 주지 못한 것을 미안하게 여긴다. 하지만 어머니를 탓할 일은 없다. 속초·고성·양양이 힘을 잃어가는 것은 어머니들이 못해서가 아니다. 그동안 정치가 어머니의 마음을 헤아리지 못했으며 어머니를 돌보지 못했기 때문이다.

2018년 지방선거 때 큰 변화의 바람이 불었지만, 그전만 하더라도 속초·고성·양양은 보수 정당의 독무대나 다름없었다. 오랜 기간 그토록 힘을 실어주었는데도, 보수 정치권은 어머니의 바람에 부응하지 못했다. 의미 있는 발전을 이루어내지 못했다. 어머니를 외면하는 정치를 해온 것이다. 이미 상처받은 어머니들의 가슴을 계속 헤집어왔는지도 모른다. 나는 이렇게 외치고 싶다.

"어머니들은 잘못 한 것이 하나도 없습니다. 이제 제가 잘 모시겠습니다."

이제 제가 모시겠습니다

마음의 소원

나는 태어나 자란 집에서 서른 살까지 어머니와 함께 지냈다. 그러다 결혼하면서 어머니의 도움을 받아 분가했고 3년 가까이 따로 지냈다.

그리 멀지 않은 곳에 살았기 때문에 자주 찾아뵙고 식사도 함께 하곤 했다. 그러다 청와대 비서실 행정관으로 근무하게 되면서 잠시 속초를 떠나야 했다.

아내와 함께 서울로 가려니 어머니가 마음에 걸렸다. 가까이서 자주 드나들 때는 어머니 식사와 살림, 건강 등을 챙길 수 있지만,

그러지 못하기 때문이다. 나는 어머니의 성정을 잘 안다. 함께 밥을 먹을 때는 조촐하게 반찬을 마련해 상을 차리지만, 혼자일 때는 찬 하나 없이 식은 밥을 물에 말아 먹기 일쑤이다. 그리고 몸이 아프면 혼자 끙끙 앓으며 내색하지 않는다. 그러다 건강이라도 해치면 어떨지 걱정이 되었다.

나는 아내와 마음을 털어놓고 이 근심에 대해 의논했다. 그리고 아내가 어머니를 모시며 함께 지내면 좋겠다고 부탁했다. 아내는 고맙게도 내 생각에 흔쾌히 동의했고 어머니와 살림을 합쳤다. 나도 짧은 서울 생활을 끝내고 다시 속초로 돌아왔다. 이렇게 해서 8년간 어머니와 함께 지내게 되었다.

"어머니를 모신다"고들 표현하지만, 내 경우 이 말은 가당치 않았다. 함께 살며 보살핌을 받은 건 오히려 나였기 때문이다. 어머니는 손주들을 돌보는 것을 큰 기쁨으로 여기며 분주한 나를 도와주었다.

이렇게 어머니와 아내, 두 아이와 한집에서 생활한 8년은 행복과 안정감이 넘쳤다. 어머니를 모시겠다는 애초 의지는 순수했지만, 결과적으로는 나만 큰 덕을 보게 된 것 같아 죄송스러운 마음이다. 이후에 다시 분가했지만, 여전히 가까이서 지내며 자주 어머니를 돌아보고 있다.

어머니는 잠시도 손에서 일을 놓지 않으려 한다. 일하지 않으면

병이 생겨 드러누울 것 같아 그런다는 핑계를 댄다. 하지만 아들, 며느리, 손주들에게 조금이라도 보탬이 되려는 마음에서 그러는 것을 잘 안다. 시집온 지 55년을 하루도 거르지 않고 그런 부지런한 삶을 살아왔다.

나는 늘 어머니에게 말한다.

"이제, 이런 일 그만 하세요. 이제는 어머니가 일 걱정, 집안 걱정 내려놓고 여유롭게 편안하게 사셨으면 좋겠어요."

그러면 어머니는 이렇게 대답한다.

"나는 이게 제일 행복해."

할 수 없이 나는 엉뚱한 논리를 꺼낸다.

"어머니가 이러면, 내가 욕을 얻어먹어요. 정치한다고 다니는 놈이 자기 어머니도 하나 잘 못 모신다고 그래요."

나의 이야기에 어머니는 역정을 낸다.

"누가 그래? 아무것도 모르면서. 내가 다 이야기해주마."

어머니를 쉬시게 하려는 나의 간곡한 부탁은 대개 이런 식으로 끝나고 만다.

그렇지만 나는 늘 다짐하며 되새긴다.

'어머니 이제 마음 편하고 여유롭게 지내세요. 이제 제가 잘 모시겠습니다.'

진정성과 실천으로 이제 제가 모시겠습니다.

정성과 실천

나에게 어머니는 삶과 꿈이 농축된 존재이며 희망의 상징이다. 어머니를 잘 모신다는 소원과 어머니를 닮은 마음이야말로 정치의 기본이라는 신념을 가지고 있다.

그렇지만 어머니의 마음으로 그리고 어머니를 위하는 마음으로 산다는 게 쉽지 않다. 간절한 소망을 거듭 마음에 새겨도 좀처럼 뜻대로 되지 않는다.

내가 말하는 '어머니 정치'도 진정성과 열정, 의지뿐 아니라 역량이 뒷받침되어야 펼칠 수 있다.

그런데 말로만 잘 모시겠다는 사람들이 있다. 그들은 자신이 필요할 때만 찾아와 잘하겠노라는 약속을 한 후 떠나버린다. 자신이 뱉은 맹세를 기억조차 하지 못한다.

2019년 4월의 산불은 우리 지역에 큰 상처를 남겼다. 고성에서 시작된 화마는 인근 속초까지 집어삼켰다. 사상 최악의 화재로 국가재난사태가 선포되었다.

화재가 수습되고 복구와 보상이 논의될 때 야당 정치인들이 목소리를 높였다. 특히 집이 전소된 이재민에게 지원되는 금액이 1,400만 원밖에 되지 않는다며 분통을 터트렸다. 그들의 말은 일리가 있어 보인다.

재난의 고통을 덜기에 보상 규모가 터무니없이 작다. 그런데 야당 정치인들의 날 선 비방은 누워서 침 뱉기다. 바로 자신들이 만들고 유지해온 법률과 규정에 따른 보상이기 때문이다.

이재민 주택 지원금 1,400만 원은 2002년 태풍 루사, 2003년 태풍 매미 때와 똑같은 금액이다. 세월이 흐르고 물가가 오르며 상황이 변했는데도 법과 규정이 별로 바뀌지 않았다.

속초·고성·양양 지역은 태풍과 산불 등 재해로 인한 피해가 유독 심한 곳이다. 거의 매년 재해에 시달려왔다. 이런 지역을 대표하는 국회의원이라면 재해 예방은 물론 복구와 보상에 대해 신경을 쓰는 게 당연한 일이다.

그 기본은 법과 규정이다.

그동안 속초·고성·양양 지역 국회의원 선거에서는 보수 정당이 깃발만 꽂으면 당선되다시피 해왔다.

그렇게 바통을 이어받으면서 입법부에 입성한 사람들은 지역 주민을 위해 보상 법률과 규정 하나 정비하지 못하고 지금껏 무엇을 했단 말인가?

깊은 고통과 상처를 입은 지역민들 앞에서 자신들의 게으름과 무능함을 뼈저리게 반성해도 모자란 이들이 얕은 정치적 계산으로 힘든 사람을 선동해 더 지치게 만드는 처사를 보면서, 정치가 이래서는 안 된다는 생각이 들었다.

어머니와 같은 지역을 모시는 일은 말과 정치적 속셈으로 이루어질 수 없다. 정성 어린 마음과 실천으로만 가능한 일이다.

나는 다시금 결심한다.

'이제 제가 잘 모시겠습니다.'

3장

살며
사랑하며
배우며

실향민의 한

아버지의 눈물

아버지는 강원도 통천군에서 나서 자랐다고 한다. 고 정주영 현대그룹 회장과 같은 아래위 마을 출신이다.

통천군은 남북으로 나뉜 고성군과 접했다. 아버지는 11살 때 할아버지와 함께 피난해 속초에 자리를 잡았다. 아버지의 사촌 동생도 함께 월남했다. 아버지는 사병으로 입대했다가 장기 지원해 부사관 생활을 했다. 전역한 후에는 오징어 배를 탔고 어머니와 함께 덕장 일도 했다.

아버지는 꼿꼿하고 자존심이 센 사람이었다. 가슴속 깊은 응어리를 드러내 보이지 않으려고 일부러 그렇게 뻣뻣하게 굴었는지도 모르겠다.

아버지는 지척에 두고도 갈 수 없는 고향을 늘 그리워했다. 통천에서는 천석꾼 집안이었다고 한다. 집 안 장롱 깊숙이 땅문서와 돈뭉치를 보관해두고, 한 번씩 그것을 우리 형제들에게 꺼내놓으며 이렇게 말하곤 했다.

"앞으로 통일이 되면, 이게 다 너희들 장가 밑천이야."

집을 개축할 당시 장롱을 바깥에 내놓았는데 그때 애지중지하던 땅문서와 돈뭉치를 모두 잃어버리고 말았다. 이 사실을 안 아버지는 발을 동동 구르며 안타까워했다.

아버지는 집에서 소주잔을 기울이며 월남하기 전 어린 시절 이야기를 자주 했다. 그럴 때면 이따금 눈시울이 붉혔다. 어린 나이에 고향을 떠나와 정착했지만, 아버지는 객지를 떠도는 듯 안정감을 찾지 못했다. 어쩌면 이렇게 고생하는 것이 전쟁과 분단의 현실이라고 여겼는지도 모른다.

그런 아버지의 상처를 더 크게 헤집어 덧나게 한 사건이 일어났다. 아버지의 사촌 동생, 그러니까 나의 당숙인 어른이 함께 월남했고 우리 집에 같이 살았는데, 이분은 정신질환을 앓았다. 어느 날 아버지와 당숙이 크게 다투었고 당숙이 빨래판을 휘둘러 아버지가 한쪽 눈을 심하게 다쳤는데 결국 실명하고 말았다.

한쪽 눈이 의안인 채로 살아야 했던 아버지는 걷잡을 수 없이 무너졌다. 술을 더 가까이했고 어머니와 다투는 일이 잦아졌다. 고함을 치거나 폭언을 하는 등 폭력성도 심해졌다.

아버지가 만취했거나 심하게 화를 내는 날이면 어머니와 우리 삼형제는 집 밖으로 나와 평상에 앉았다. 밤하늘에 총총한 별들이 쏟아질 듯 빛났다. 어머니는 우리 형제들에게 옛날이야기를 들려주었다. 바닷가의 밤바람은 차가웠지만 어머니의 목소리는 따뜻했다. 나는 어머니가 들려주는 이야기 속으로 빠져들곤 했다.

어린 시절에는 아버지의 폭력적인 모습이 싫었다. 속으로 원망도 많이 했다. 하지만 나이가 들면서 아버지의 아픔을 이해하기 시작했다. 겉으로 보기에 아버지는 강인한 사람이었다. 유교적 가부장으로 당당히 살아가려 했을 것이다. 그러나 현실은 아버지의 기대와 달랐다. 아버지의 상처를 표현하는 방식이 옳다고는 할 수 없지만, 맺히고 맺힌 설움을 쏟아낼 길이 없었을 터이다.

대학에 다닐 때 잠시 휴학하고 서울에서 컴퓨터 프로그래밍 학원에 다녔다. 학원 수료 후 취업해 첫 월급을 받았다. 아버지 내의를 사고 그 위에 돈 5만 원을 올려 포장해서 보냈다. 아버지는 아들이 고생해서 마련한 것이라 함부로 입기 아까워했다. 잘 두었다가 설날에 꺼내 입겠다고 했다고 한다. 하지만 아버지는 끝내 그 내의를 입지 못했다.

아버지가 그토록 그리워하던 북녘 고향으로 향한 길이 다시 열리기를 염원한다.

1994년 1월, 아버지는 얼음길에 미끄러졌다. 크게 다친 데가 없어 괜찮다고 생각했던 모양이다. 속이 메슥거렸지만 소화불량이라 여기고는 노루모 한 병을 마시고 잠자리에 들었다. 그리고 다시 일어나지 못했다. 뇌출혈이었다.

탈상 후 아버지의 유품을 태우는데, 내가 보낸 내복이 나왔다. 한 번도 입지 않아 곱게 접혀 있었다. 그것을 태우며 눈물이 쏟아졌다. 아버지를 원망만 했지, 단 한 번도 제대로 효도한 기억이 없다.

어릴 때 떠나온 북쪽 고향에 얼마나 돌아가고 싶었을까? 한쪽 눈만으로 사는 게 얼마나 답답했을까?

아버지는 고함치며 소란만 피울 뿐 강한 척하느라 "힘들다", "외롭다"는 말 한마디 하지 않았다.

아버지가 그립다. 아버지가 그토록 그리워하던 북녘 고향에 한 번도 가본 적 없는 나조차 그립다.

고마운 형들

나는 삼형제의 막내로 태어났다.

위로 형이 두 명 있는데, 각각 네 살 터울이다. 큰형이 나보다 여덟 살, 작은형이 네 살 많다. 남자 형제들끼리라 그런지 서로 무뚝

뚝하고 재미가 없다. 하지만 서로 챙기는 속정은 깊었다.

큰형은 맏이답게 의젓하고 책임감이 강했다. 일찍부터 어머니를 도와 집안일을 열심히 챙겼고 아버지가 돌아가신 후에는 가장의 짐도 짊어졌다. 작은 전파사에서부터 시작해 지금은 전기 관련 사업을 하고 있다. 과묵해서 좀처럼 힘든 내색을 하지 않지만, 큰형에게서 힘든 세월을 거쳐온 무게를 느끼곤 한다.

정치하는 나 때문에 손해를 본 것도 많다. 지역에서 영업을 적극적으로 하지 못한다. 또한 나와 관련해 무엇이든 좋지 못한 이야기가 나올 만한 일은 과감히 접었다. 나는 한참 지난 후에야 그런 일이 있었다는 것을 알곤 했다.

작은형은 약간은 여성적인 성격이었다. 형제 중에서는 가장 어머니와 가깝게 지냈고 세심하게 배려했다. 그런 형이 지금도 고맙다. 학교 시절부터 신앙심이 깊었다. 신학교를 졸업하고 목사가 되었다. 지금은 교회를 개척해 목회를 하고 있다.

내가 대학 시절 5·18 민주화운동 특별법 제정을 위한 투쟁을 하다가 구속되었을 때, 작은형은 "어머니를 위해서 운동을 그만두라"고 말했다. 그때 나는 퉁명스럽게, "형한테 예수 믿지 말라고 하면 그대로 하겠어?"라고 반문한 기억이 있다.

그때 좀 더 철이 들었다면, 갑자기 받았을 충격과 상처를 헤아리면서 부드럽게 이야기했을 텐데 그러지 못한 것이 미안하고 아쉽다.

길이 열리기를 고대하며

아버지가 세상을 떠난 지 5년이 채 안 된 1998년 11월 18일, 826명을 태운 금강호가 동해항을 떠나 북방 한계선을 가로질러 북한으로 들어갔다.

2003년 9월부터는 고성군 현내면 명파리 마을에서 출발하는 육로를 통해 금강산을 여행할 수 있게 되었다. 아버지가 조금 더 오래 사셨다면 아내, 아들 삼형제와 함께 고향 땅을 거쳐 북한 땅을 밟을 수 있었을 것이다.

육로 관광이 진행되는 중에 육로 관광지가 아버지의 고향인 통천군까지 확대된다는 반가운 소식도 들렸다. 비록 아버지는 살아 계시지 않지만, 그 아들과 손주들은 당신의 고향 땅을 밟을 수 있게 되었다는 것이 무척 기뻤다. 하지만 2008년 7월 11일 금강산관광객이 피격된 후 10년 넘게 금강산으로 향하는 문이 굳게 닫혔다. 보수 정권이 집권하는 동안 남북 대결 구도가 고착되어 좀처럼 그 문이 열리지 않았다.

남북 화해 국면 속에서 하루라도 빨리 금강산관광이 재개되기를 바란다. 그러면 어머니와 우리 형제들, 그리고 그 자녀들까지 아버지가 눈물로 그리워하던 고향을 방문할 수 있을 터이다.

바다 소년

바다는 놀이터

강원도 속초시 영랑해안길 139.

내가 태어나 자란 집이다. 피난 온 실향민인 할아버지와 아버지가 이곳에 터를 잡았다. 나는 여기서 서른 살까지 지내다 결혼하여 분가했고, 3년 후에 다시 살림을 합쳐 8년 가까이 살았다. 45년 삶 중에 37년을 이 집에서 지냈다. 이 집은 슬레이트 지붕에서 기와집으로 바뀌었고, 내가 고등학교 2학년 때 단층 양옥으로 개축해 모습만 바뀌었을 뿐 여전히 자리를 지키고 있다. 지금도 어머니가 이 집에 산다.

우리 집은 바다로 향해 있었다. 앞마당에 서면 햇빛을 머금고 보석처럼 반짝거리는 백사장 너머 드넓은 파다가 펼쳐졌다. 그 사이를 막고 있는 초소와 철책이 거슬렸지만, 저 멀리 수평선을 보며 상상의 나래를 펼치곤 했다.

마음껏 뛰어놀던 어린 시절이었다. 백사장과 바다는 최고의 놀이터였다. 뭐가 그리 급했는지 집에서 맨발로 뛰어나가 백사장에 들어서면 햇빛에 달구어진 모래가 너무 뜨거워 눈밭의 강아지처럼 발을 동동거리곤 했다.

백사장에서 아이들과 야구를 했다. 제대로 된 도구는 없었다. 시멘트 포대를 접어서 글러브를 만들었고 주어온 나무 막대기를 배트로 삼았다. 그래도 프로야구 선수라도 된 양 잔뜩 폼을 잡았다. 야구뿐 아니라 축구와 자치기를 하며 해가 지는지도 모르고 놀곤 했다.

날씨가 더우면 언제든 바닷속에 뛰어들었다. 바닷속을 헤엄치며 섭을 따서 도란도란 모여 앉아 슬레이트 조각 위에 조개, 감자와 함께 구워 먹었다. 동네 형들이 다 익은 감자를 바다로 던지면, 그것을 먹으려고 멀리 헤엄치곤 했다. 양식장 부표로 쓰는 스티로폼을 반으로 잘라 합판을 붙여서 배를 만들어 타고는 제법 먼 바다로 나간 적도 있다.

방학 때는 양양의 외갓집에 자주 놀러 갔다. 방학 내내 외갓집에서 지낸 적도 있다. 외가에서 산자락과 들판을 마음껏 뛰어다녔다. 사촌들과 함께 토끼잡이를 하던 기억이 새록새록 난다.

겨울이면 두들긴 북어를 모닥불에 구워 먹었다. 때로는 서리를 했다. 어포를 망에 붙여서 말리는 집이 많았는데, 그것을 살짝 떼어내 먹으면 입 안 가득 감칠맛이 돌았다. 정월 대보름 전후에는 망우리를 돌렸다. 어둑한 바닷가에 이글거리던 불빛이 신비롭게 느껴졌다.

영랑초등학교

나는 영랑초등학교 출신이다. 내가 다닐 때만 해도 한 반에 50명씩, 한 학년이 5개 반이었다. 지금은 한 반에 20명, 한 학년 2개 반 규모로 줄어들었다. 아이들과 나는 동문이다. 큰애가 영랑초등학교 출신이고, 막내도 이 학교에 다니고 있다.

초등학교 때 이경호라는 이름의 친구가 있었다. 경호는 소아마비를 앓았는데 아주 잠깐, 짧은 거리만 걸을 수 있을 정도로 중증이었다. 어머니가 그를 학교에 업고 다녔다. 나는 경호와 친했다. 장애가 있는 친구라서 특별히 다르게 생각한 것은 아니었다. 사소한 일로 말다툼도 자주 했다.

동명항 쪽에 살던 경호 집에 자주 놀러 갔다. 그 집에는 특이한 장난감이 많았다. 거동이 불편한 경호를 위한 배려였으리라. 그리고 기차 모양의 연필깎이가 있었는데 갈 때마다 연필을 있는 대로 챙겨 가서 잔뜩 깎았던 기억이 난다.

경호는 야구를 좋아했다. 야구 시합하는 것을 직접 보고 싶어 했다. 당시 속초에는 영랑초등학교와 중앙초등학교에 야구부가 있었다. 두산 베어스의 김재환 선수가 영랑초등학교 출신이다. 때마침 중앙초등학교와 영랑초등학교 간의 시합이 있다는 이야기를 들었다. 장소는 중앙초등학교 운동장이었다.

초여름의 일요일이었다. 나와 친구들은 경호를 교대로 업고 중앙초등학교로 향했다. 차로 몇 분 안 되는 거리인데, 길을 잘 모르는 어린아이들은 골목골목을 헤맸다. 삐질삐질 땀을 흘리며 이곳저곳을 뒤졌지만, 중앙초등학교를 찾을 수 없었다. 그러는 사이에 해가 뉘엿뉘엿 저물었다. 우리는 허탕을 치고 말았다. 나와 친구들은 경호에게 야구를 보여주지 못해, 경호는 야구 경기 장면을 직접 보지 못해 아쉬웠지만 땡볕에 얼굴을 그을리며 함께 온 동네를 돌아다니던 그 순간을 모두가 즐거워했다.

경호와 나는 서로 다른 중학교로 가면서 연락이 끊겼다. 이따금 경호 생각이 났지만, 나 살기가 팍팍하다는 핑계로 따로 연락하거나 만나지 못했다. 그러다 경호가 청년의 나이로 세상을 떠났다는

초등학교 시절. 어머니, 두 형과 함께.

소식을 전해 들었다. 오랜 장애 생활로 병이 깊어졌다고 한다. 가슴이 먹먹했다. 우리 사회가 장애인들의 치료와 활동에 더 관심을 기울였다면, 어머니가 매일 업어서 등하교를 시키는 일도, 꽃다운 나이에 삶을 마감하는 서러움도 없었을 터이다. 더는 또 다른 경호가 나오지 않도록 함께 노력해야겠다.

명태 덕장

어머니는 생선을 조금씩 말려서 시장에 내다 파는 장사를 하다가 규모를 키워서 덕장을 열었다. 나의 어린 시절은 덕장의 기억으로 채워져 있다.

양양이나 고성에서 명태를 사다가 손질해 말렸다. 명태가 들어오면 배를 갈라 명란, 창난, 곤이를 떼어냈다. 이것들을 분류해 잘 씻었는데 일부는 일하는 사람의 몫으로 돌아갔다. 내장을 떼긴 명태를 잘 씻고 이쑤시개 같은 것으로 배를 넓혀서 고정한 다음 건조대에 걸어 말렸다. 창난을 씻어 불리거나 이쑤시개로 배를 넓히는 간단한 일은 우리 형제가 맡기도 했다. 이 덕장은 우리 가족의 생계에 큰 보탬이 되었다.

지금은 덕장을 하지 않는다. 이웃의 덕장들도 마찬가지다. 명태가 잡히지 않기 때문이다. 오징어와 명태는 속초·고성·양양의 중요한 소득원이었다. 오징어의 어획량이 줄고 명태는 거의 안 잡히는 지경이다 보니 수산업이 사실상 무너졌다. 수입 명태를 가공해서 판매하는 기업만 명맥이 유지되고 있다.

명태가 없으니 쌍끌이 등으로 남획하고 그러면서 수가 더 줄어드는 악순환이 반복된다. 기후 변화로 한랭 어종인 명태가 안 잡히는 건 어쩔 수 없다. 하지만 다른 발상으로 접근할 필요가 있다. 치어를 방류하는 사업, 양식화 등을 추진하고 있는데 장기적인 안목으로 꾸준히 해나가면 성과가 나타날 것이다.

현재 환경에 맞게 수산업을 확장하는 것도 중요하다. 많이 잡히는 어종인 홍게가 그 하나이다. 홍게는 속초에서 가장 많이 잡힌다. 전국 어획량의 48%가 속초산이다. 그런데 울진 등 다른 도시들이 홍게 브랜드를 먼저 앞세웠다. 그래서 속초붉은대게협동조합을 조직해 속초의 홍게를 널리 알리려 시도한 적도 있다.

명란, 창난, 오징어젓 등 수산 가공 사업에도 적극 투자할 필요가 있다. 저염 건강식 등 현대인의 기호에 맞는 다양한 제품을 개발하고 신선한 마케팅을 전개해나가야 한다. 그러려면 냉장과 냉동 시설, 가공 공장 등 인프라가 든든해야 한다. 속초의 업체가 부산의 냉동 창고를 이용하는 형편이다. 수산업협동조합과 연계하고 지역 특화 사업으로 예산도 배정받아 인프라를 정비하는 데 각별히 노력해야 한다.

속초·고성·양양의 바다 자원을 충분히 활용해야 한다. 횟집 등 관광객 대상의 식당만으로는 부족하다. 다양한 수산 연계 산업에 활력을 불어넣어야 한다. 그럼으로써 지역 일자리가 더욱 풍부해질 것이다. 바다를 활용한 관광과 해양 레저 등을 활성화해야 한다. 이 방안에 대해서는 뒤에서 더 자세히 이야기하겠다.

속초·고성·양양은 멋진 바다를 가지고 있다. 다른 지역이 부러워하는 천혜의 자원이다. 예전보다 어류 자원이 부족해졌다고 탓하고만 있다가는 기회를 놓치고 만다. 아름다운 동해와 함께 부활하는 속초·고성·양양을 꿈꾼다.

풋풋한 첫사랑의 추억

공부 이상의 공부

나는 활달한 성격으로 친구들과 잘 어울려 다녔지만, 모가 나거나 비뚤어진 구석은 전혀 없었다. 남들이 거친다는 질풍노도의 사춘기도 거치지 않았다. 스포츠와 독서를 즐기던 평범하고 조용한 학생이었다.

나는 지금도 스포츠를 좋아한다. 축구, 야구 등 구기 종목도 즐겨 하고 바닷가에 사는 사람답게 스쿠버다이빙도 할 줄 안다. 고등학교 1학년 때부터 시작한 태권도는 3단까지 땄고 매번 도민체전에 출전할 수준에 올랐다.

어릴 때부터 책 읽기를 좋아했다. 우리 옆집에 군인 가족이 살았는데, 그 집에는 책이 많았다. 문학 전집이나 위인전이 책장에 가득 꽂혀 있었다. 부잣집에 놀러 갔을 때는 부럽다는 느낌이 없었지만, 책 향기가 나는 그 집은 호감이 갔고 내심 부러웠다. 나는 그 집에서 책을 많이 빌려 읽었다. 국내외 위인의 일대기를 접하며 나도 세상에 좋은 영향을 끼치는 훌륭한 인물이 되어야겠다는 결심을 어렴풋이나마 했다.

중학교에 가면서부터는 학교도서관과 교동도서관에서 꽤 많은 책을 빌려 읽었다. 도서관에서 책을 많이 빌려 가는 사람 순위 안에 들 정도였다. 작은형도 독서를 즐겼다. 나에게 좋은 책들을 추천해주었고 때로는 선물도 했다. 작은형 덕분에 책 읽기가 더 풍부해졌다.

문학, 역사, 철학, 사회, 과학 등 분야를 가리지 않고 책에 빠져들었다. 지금이야 학생들이 다양한 책을 읽는 것을 권장하지만, 예전에는 분위기가 달랐다. 학교 공부와 직접적인 연관이 없으면, 말하자면 시험에 나오는 내용이 아니라면 책 읽는 것을 시간 낭비로 여기는 사람이 많았다.

하지만 나는 아랑곳하지 않았다. 시험에서 점수를 잘 받는 것만 공부가 아니다. 다양한 지식과 경험을 쌓고 인격적으로 성숙하는 게 학생의 본분이라 생각하고 그렇게 믿었다. 그리고 선생님 한 분을 만나면서부터 나의 그런 생각은 더욱 굳어졌다. 지금 강원도 교육청 기획조정관으로 계신 장주열 선생님이다. 장 선생님은 학과 성적보다 인성을 더 중요하게 생각했다. 아이들이 세계와 삶을 폭넓게 바라보는 눈을 기르기를 원했다. 사물놀이와 민요를 가르쳐 주고 우리가 알지 못하던 역사 이야기를 들려주었다. 나는 교육에 다른 측면에 있다는 데 눈을 떴고 그 가르침을 깊이 새겼다.

청소년기 동안 책을 읽고 다양한 활동을 하며 앞으로 무엇을 공부해야 하고 어떻게 살아야 하는지 진지하게 생각하면서 지냈다. 지금 생각해보니 정말 건전했다. 그렇다고 성적이 나쁜 것은 아니었다. 50명 내외이던 학급에서 10등 안에 들었으니 중상위권은 한 셈이다. 물론 작은 일탈도 있었다. 중학교 2학년 때 학교 공식 프로그램으로 야영을 갔다. 이승복기념관이었는지 백담사였는지 기억이 정확하지 않다. 그도 그럴 것이 그때 난생처음 술을 마셨기 때문이다. 함께 텐트에서 잤던 친구가 아버지 몰래 소주 한 병을 챙겨왔다. 몰래 조금씩 나누어 마셨는데, 목구멍을 타고 흐르던 맛이 역하면서도 짜릿했다.

그리운 친구들

중학교를 같이 다니던 친구 중에 강동수가 있다. 아버지가 자개 기술자였다. 동수와는 꽤 친하게 지냈다. 공도 함께 차고 자주 어울려 다녔다. 그런데 이 친구는 고등학교에 진학하지 않았다. 내가 고등학교에 들어가면서부터 만날 기회가 줄었고 사이가 소원해졌다. 살아가는 세계가 다르다는 것이 친구 간의 정도 멀리 떼놓을 수 있다는 걸 그때 느꼈다.

동수의 삶은 마음먹은 대로 잘 풀리지 않았다. 그렇지만 언제나 열심히 일한다는 이야기를 건너서 듣곤 했다. 명절 때나 가끔 만나는 정도라 늘 마음이 미안하고 불편했다.

결혼한 지 10년쯤 지났을 무렵 동수는 극단적 선택을 했다. 한번쯤 찾아보고 쓴 소주를 나누며 신세 한탄이라도 들어줄 걸 하는 후회가 지금도 든다. 또 다른 동수의 불행이 생기지 않도록 하는 게 정치하는 내 역할이라는 마음을 늘 가지고 있다.

하태국이라는 친구는 공부를 꽤 잘했다. 어린이 학생회장을 맡기도 했다. 나중에 서울대학교 의과대학에 진학했다. 내가 학생운동을 할 때 외대에서 하는 연합 집회에 참여했다가 태국이를 만났다. 어떻게 된 일인지 물으니 동아리 선배들을 따라 집회에 참석했다고 한다. 나는 그때 "내가 네 몫까지 두 배, 세 배를 데모할 테니 너는 공부를 열심히 해서 좋은 의사가 돼라!"고 말했다.

왜 그런 말을 했는지는 지금도 잘 모르겠다. 아마도 친구가 위험에 빠질까 걱정하는 우정과 모성이 묘하게 섞인 감정이 아니었을

내가 그랬듯, 이 땅의 아이들이 밝고 구김살 없이 자라기를 바란다.

까. 태국이는 좋은 의사가 되었다. 지금은 요양병원을 운영하고 있는데, 나의 든든한 정치적 후원자이기도 하다.

중3 때 첫사랑에 빠졌다. 짝사랑이었다. 소설 「소나기」에 나오는 서울 소녀가 연상되는 전학생이었다. 얼굴이 하얗고 가냘픈 느낌이 들면서도 세련된 기품이 있었다. 공부도 잘했다. 태국이보다 위였다. 속초에 4개 중학교가 있는데, 그중에 톱이라고 들었다.

그 애와 처음 만난 것은 버스 안이었다. 하교 때 버스를 탔다가 내리는데 여학생 한 명이 나를 따라 내렸다. 그러고는 나를 계속 뒤쫓아 오는 게 아닌가. 분명히 이 동네 여학생은 아니었다. '나에게 이런 일이 생기다니.' 김칫국을 마시며 상상의 나래를 펴고 있을 때쯤 갈라지는 골목이 나왔고 그 애는 다른 쪽으로 총총히 사라졌다. 그 근처로 이사를 왔던 것이다.

그리고 다음 일요일, 그 애는 내가 다니던 교회에 나왔다. 나는 짝사랑의 속앓이를 시작했다. 학교에 갈 때는 곧바로 가는 버스를 타지 않고 그 애가 다니던 속초여중으로 가는 버스를 탔다. 버스 안에서라도 한 번 더 볼 심산이었다. 내 짝사랑은 이미 소문이 났기에 버스 안의 여학생들이 나를 보며 키득대기도 했다. 나는 꽤 많은 종이학을 정성스럽게 접어 유리 상자에 담아 선물했다. 그해 겨울 크리스마스카드가 왔다. 중학교 3학년인데도 나를 '동기 씨'라고 호칭했다.

"동기 씨 만나서 반갑고 행복했습니다."

고등학교에 진학하고 바쁜 삶을 사느라 첫사랑이자 짝사랑의 열정은 시들해졌다. 그러나 그 시절의 순수하고 풋풋한 마음은 가슴에 오래 남았다. 내가 만약 유명 인사가 되면 'TV는 사랑을 싣고'에 출연해 안○○를 찾는 상상도 해보았다. 나는 무슨 일이든 그런 순수한 열정으로 임하자고 결심하곤 한다.

교육을 다시 생각한다

나는 내 아이들의 교육 문제에 관심이 많다. 아빠로서 자연스러운 일이다. 하지만 특목고나 명문대를 보내려 준비하는 따위는 생각하지도 않는다. 나도 그렇게 커오지 않았다. 그 대신 아이들의 균형 잡힌 성장을 생각한다.

아이들 교육에 과감한 투자도 했다. 2016년 국회의원 선거에서 비례대표 출마를 하지 못하게 된 후 나는 큰 결심을 했다. 초등학교 2학년과 4학년인 두 아이를 유학 보내기로 한 것이다. 횟집을 정리한 후 빚을 갚고 남은 돈, 남은 보험을 깬 돈을 합쳐 자금을 마련했다. 그래도 형편이 넉넉하지 않아 미국이나 호주 등은 엄두도 내지 못하고 필리핀에 보냈다. 아내도 함께 갔다. 더 자유롭게 공부하며, 영어를 익히면 좋겠다고 생각했다. 아이들이 눈을 더 크게 떠 세계를 보는 안목을 가지기를 바랐다. 앞으로 세계인과 소통하는 도구인 영어를 잘 익히면 더 좋을 것이라고 보았다. 다행히 두 아이는 2년 동안 프로그램을 잘 이수하고 돌아왔다. 그동안에 수학이나 과학 등 학과 공부가 좀 처진 것은 그리 신경 쓰이지 않는다.

이 책을 쓰는 지금, 한국 사회는 교육 문제로 뜨겁다. 그런데 실상은 교육이 아니라 입시 문제이다. 명문대학에 진학하는 방법을 두고 갑론을박이 한창이다. 그러면서 정작 중요한 과제는 시야에서 멀어지고 있다. 아이들이 각박한 경쟁에 짓눌리지 않고 밝고 건강하며 선량한 사람으로 자라도록 가르치고 이끄는 데는 별 관심이 없다.

나는 입시 방법을 바꾸는 것으로는 교육 문제가 해결되지 않는다고 생각한다. 소득이 불공평하고 양극화된 세상에서는 더 좋은 직업을 얻으려는 시도가 교육을 통해 나타나기 때문이다. 정치를 통해 더 공평한 세상을 만들고 천대받던 직업을 존중받게 하면 대학 진학의 압박은 자연스럽게 줄어들 것이며 교육도 본래의 기능을 찾으리라 믿는다.

인격적 성숙이 공부의 목표

실업계 진학

고등학교 진학을 앞둔 중학교 3학년 2학기, 친구인 박용식, 김미경과 미래를 주제로 열띤 토론을 벌였다. 그리고 한 가지 결론을 냈다. 인문계 고등학교 진학으로 입시에 찌들어 살기보다는 더 자유롭고 풍성한 학교생활을 위해 실업계 고등학교로 진학하기로 마음을 굳혔다.

그 당시 인문계 고등학교는 지금의 일반계 고등학교인데, 사실상 입시 학원처럼 운영되었다. 보충 수업과 야간 자율 학습 등 빡빡한 통제 속에 3년을 입시에 매진해야 했다. 그에 비하면 실업계 고등학교는 약간의 여유가 있어 보였다.

대학에 진학하겠다는 뜻이 없었다는 건 아니다. 나는 국어국문학과나 국어교육과에 가서 교사가 되고 싶었다. 다만 더 자유로운 환경에서 책도 더 많이 읽고 다양한 활동을 경험하며 사고력과 인격을 키우는 게 중요하다고 보았다. 입시 공부는 따로 시간을 내서 하면 충분하다고 생각했다.

뜻을 함께한 세 사람은 모두 인문계 고등학교에 진학할 성적이 되었다. 부모님을 어떻게 설득하느냐가 관건이었다. 내가 실업계 고등학교에 가겠다고 이야기를 꺼내자 부모님보다 두 형이 펄쩍 뛰었다.

"이게 갑자기 무슨 소리야? 열심히 공부해서 대학 갈 생각은 않고…."

아버지는 나를 물끄러미 보더니 이렇게 물어보았다.

"왜? 집안 형편 걱정해서 그러는 거니?"

나는 짐짓 진지한 표정으로 확고한 결심을 이야기했다.

"집안 사정 때문이 아닙니다. 제가 꼭 그러고 싶습니다. 저는 인문계 고등학교에서 짓눌려 지내기보다는 더 활발한 학교생활을 하고 싶습니다. 많은 친구와 어울리고 더 잘 지내면서 다양한 활동을 하고, 책도 더 많이 읽는 게 좋다고 생각합니다. 학교 시험에만 쓰이는 과목 말고 실질적인 기술을 배우는 것도 유용하다고 생각합니다. 대학은 꼭 가겠습니다. 장학금까지 받으면서 가겠습니다. 허락해주십시오."

아버지와 어머니는 어리둥절하고 걱정스러운 표정이었지만, 고개를 끄덕였다. 사춘기 소년의 치기 어린 결정이라 하더라도 자기 인생에 대한 계획은 존중해주어야 한다는 게 부모님의 생각이었다.

그런데 실업계 진학에 대해 나보다 더 적극적이었던 용식이와 미경이는 부모님의 허락을 받아내지 못했다. 결국 세 사람 중 나 혼자만 실업계로 진학했다. 나는 속초상업고등학교(현재 설악고등학교) 정보처리과에 입학했다. 컴퓨터를 공부하는 게 미래 세계를 사는 데 큰 도움이 되리라는 내 나름의 예측 때문이다.

처음이자 마지막 가출

고등학교에 들어가니 내가 생각하던 모습과는 차이가 컸다. 대학입시에서 상대적으로 자유롭긴 했지만, 억압적인 환경은 여느 고등학교와 차이가 없었다. 두발과 복장 규정이 엄격했는데, 특히 여학생들을 심하게 통제했다. 더 많은 자율성을 원하고 이 학교를 선택한 나로서는 약간의 거부감이 일었다.

그렇지만 학교생활에 잘 적응하는 게 최선이었다. 학과 공부를 더 심화할 작정으로 전산부 동아리에 가입했다. 그리고 다양한 책을 읽고 토론하며 우리 사회를 다양한 관점에서 이해하고 고등학생으로서의 교양을 쌓자는 취지의 시나브로라는 동아리를 만들었다. 이것이 선생님들에게는 운동권 비슷한 느낌을 준다는 것은 별로 의식하지 않았다.

앞에서 잠깐 이야기했는데, 처음이자 마지막 가출을 고등학교 2학년 때 했다. 지금 돌이켜보면 어리석고 우발적인 행동이었다. 전산부 동아리가 합숙하며 준비했던 컴퓨터 경진대회가 무사히 끝날 무렵이었다.

나는 호감을 품은 여학생이 있었다. 같은 학년이었는데 사귄다고 받아들일 정도로 가까웠다. 그런데 다른 학교 남학생이 그 애를 좋아한다는 이야기가 들렸다. 나는 자신이 있었다. 그래서 말했다. "그 애에게 선택권을 주자." 하지만 그 여학생의 선택은 내가 아니었다. 나는 창피하고 자존심이 상했다. 실연의 아픔 같은 것도 약간은 있었다. 하지만 그 때문에 사고를 저지르거나 할 정도는 아니었다.

그즈음 학교에서 친구 한 명이 떠들었다.

"나, 서울로 가출할 거다. 함께 갈 사람 없어?"

우발적으로 떠나고 싶은 마음이 들었다. 그리고 그 친구를 따라 무모한 가출 길에 나섰다. 시외버스를 타고 서울 상봉터미널에 도착했다. 국밥을 한 그릇 먹고 친구가 이끄는 대로 작은 봉제 공장에 갔다. 그곳에서 2박 3일을 보냈다. 잠은 공장 기숙사에서 잤는

힘찬 노동으로 새벽을 여는 삶을 살겠노라고 결심했다.

데, 온기라고는 하나 없는 차가운 바닥에서 오들오들 떨었다. 가출해서 한 것이라고는 봉제 공장 재단 파트에서 시다로 일한 게 전부인 걸 보면 나는 놀고 지낼 운명은 아닌가 보다.

가출 사흘째 날 어머니와 통화했다. 어머니는 울먹이면서 무조건 당신이 잘못했으니 빨리 돌아오라고 했다. 그 순간 내가 무슨 짓을 저질렀는지 깨달았다. 어머니 가슴에 처음으로 대못을 박은 것이다. 나는 그길로 집으로 돌아갔다.

새벽을 여는 사람들

고등학교 2학년 때 고성에서 세계잼버리대회가 열렸다. 전 세계 보이스카우트와 걸스카우트 청소년들이 모여서 야영하며 문화 교류를 하는 대규모 행사이다. 전산부 동아리 회원들은 이 행사를 이용해 용돈이라도 벌어볼 궁리를 했고 행사 기간 유급 보조 업무와 용품 판매 등을 했다.

그런데 엉뚱한 사고가 하나 났다. 후배 한 명이 자기 이모에게 고급 카메라를 빌려 왔는데 그것을 잃어버렸다. 일에 쓰려고 빌린 카메라인 만큼 우리 모두에게 책임이 있었다.

카메라값을 마련하기 위해 신문 배달을 하기로 했다. 처음에는

6명이 하다가 나중에는 4명이 했다. 어머니에게는 새벽 4시에 깨워 달라고 부탁하며 아침 운동을 한다고 거짓말을 했다.

하지만 작은 동네에서 금방 들통 날 일이었다. 어머니는 왜 신문 배달을 하느라 고생하느냐며 말렸다. 사실대로 자초지종을 말하고 허락을 받았다. 오토바이를 타고 신문을 돌렸는데 얼굴과 손에 와 닿는 차가운 바람은 살인적이었다.

한번은 오토바이가 넘어지면서 키박스가 부러졌다. 갑자기 바람이 불어와 신문이 이리저리 날아다녔다. 그것을 쫓아다니며 신문을 챙기느라 난리를 떨었다. 그날은 오토바이 없이 걸어서 신문을 배달하느라 몸살이 날 정도로 고생했다.

신문 배달을 하며 새로운 세상을 보았다. 같은 공간이라 하더라도 시간에 따라서 펼쳐지는 세상이 달라질 수 있음을 그때 깨달았다. 그곳에는 수많은 사람이 노동으로 새벽을 열며 지구를 움직였다. 항구에는 뱃사람들이 출조를 준비 중이었다. 시장 상인들은 짐을 부리며 장사 채비에 한창이었다.

우유를 배달하는 내 또래의 학생, 야쿠르트 아줌마도 새벽바람에 코를 시큰거리며 바쁜 발걸음을 옮겼다. 돈을 적게 벌든 많이 벌든 그들은 가장 소중한 일을 담당하고 있었다.

서양 동화에서 사람이 잠든 사이 요정들이 부지런히 일해서 새로운 날을 만들어낸다는 이야기를 읽은 기억이 있는데, 새벽을 깨우는 이들이야말로 새로운 세상을 창조하는 진짜 요정이었다.

새벽에 고생한다고 우리에게 야쿠르트를 건네주시던 아주머니의 미소는 어머니의 애잔한 사랑과 닮아 있었다.

새벽바람을 가르는 오토바이에 앉아 앞으로 삶이 새벽을 깨우는 사람, 힘겨운 노동으로 세상을 움직이는 사람 중에 단단히 뿌리를 내리리라 굳게 결심했다.

인권에 눈뜨다

학교라는 이름의 억압

입시 스트레스만 덜하면 더 자유롭고 창의적이며 활동적인 고등학교 시절을 보낼 수 있으리라 기대했었다. 하지만 그것은 꿈같은 상상이었다. 그 시절 학교에는 어디서나 억압이 존재했다. 유교적 가부장제와 군사 문화의 잔재가 뒤섞여 권위적이고 폭력적인 억압이 횡행했다. 하지만 "이것이 잘못되었으니 고쳐야 한다"고 부르짖는 목소리는 좀처럼 들리지 않았다. 전국교직원노동조합(전교조)이 태동하던 시기였지만 그 외침이 크게 울리지는 않았다.

대다수 교사와 학생은 늘 그래왔던 방식을 당연하게 받아들였다. 공식적으로는 두발과 복장을 자율화해놓고도 엄격하게 단속했다. 욕설이나 체벌도 부지기수였다. 나도 이런 환경에서 커왔기에 적응이 되었지만, 한편으로는 이상하게 느껴졌다. 결코 바람직한 일은 아니었다.

다양한 분야의 책을 읽으며, 의식 있는 몇몇 선생님의 조언을 들으며, 또래들 간에 치열하게 토론하며 고등학생에게도 인권이 있으며 그것을 존중받아야 함을 조금씩 자각하게 되었다.

고등학교 1학년 때 학교 게시판에 대자보 하나를 붙였다. 북한의 우리 또래들은 배고프고 헐벗은 가운데 고생하고 있는데 남한의 학생들은 너무 풍요롭다. 낭비가 심하고 시간도 많이 허비한다. 불쌍한 북한 학생들을 의식해서라도 정신을 차려야 한다. 더 부지런히 공부하고 알차게 생활하자는 내용이었다. 고등학교 1학년 학생이 생각해봄 직한 내용이었다. 그런데 이 대자보 때문에 학교가 발칵 뒤집혔다. '북한'을 언급했기 때문이다.

여러 선생님에게 불려 다니며 취조 아닌 취조를 당해야 했다. "이런 소리는 어떻게 들었냐?", "대학에 다니는 형이 있냐?", "집안에 빨갱이가 있냐?", "운동권 선배와 어울려 다니냐?" 등이었다. 북한을 찬양하지도 않았는데 왜 그리 호들갑을 떨었는지 지금도 이해하기 어렵다. 곧 징계를 받게 될 것이라고 들었는데, 무슨 이유에서인지 아무 말이 없었다. 이 일은 흐지부지 넘어갔다.

종이비행기에 소원을 적어 날려 보내며 억압적 교육 현실에 항의했다.

소원을 담은 종이비행기

내가 주도해서 만든 동아리 시나브로 활동을 통해서도 나의 인권 의식은 더 커갔다.

'시나브로'는 '모르는 사이에 조금씩 조금씩'이라는 뜻을 가진 순우리말이다. 이름 그대로 자기 자신을 점점 발전시키자는 자기 계발 성격을 지니고 있었다. 학생의 본분에 충실하면서 더 나은 삶을 찾자는 취지는 전혀 문제될 것이 없었다. 그런데 엄혹한 시기에는 책 읽고 자기 생각을 정리하고 토론하는 활동 그 자체가 위험스러웠다. 주입된 가치관을 넘어서 자율적으로 판단한다는 것 자체가 고등학생에게 허용되지 않았다.

책에서 말하는 세상과 우리의 학교 현실은 크게 달랐다. 심지어는 교과서가 가르치는 최소한의 기준도 벗어나 있었다. 나와 시나브로 회원들은 학생의 인권을 무시하는 학교와 교사의 부당한 처사에 항의해야겠다고 생각했다.

학생다우면서도 우리 뜻을 강력하게 전할 방법을 찾기 위해 고민했다. 그런데 곤혹스러운 점이 하나 있었다. 나를 포함한 시나브로 회원 몇몇은 졸업을 앞둔 고3이었다. 자칫하면 취업이나 진학은 고사하고 졸업도 하지 못할 위험이 있었다. 그러나 이 모든 것을 감수하고 행동에 나서기로 했다. 조심스럽게 다른 학생들을 만나 설득하기 시작했다.

12월 12일이었다.

학생들은 일제히 교실 창문을 열고 종이비행기를 날렸다. 각각의 종이비행기에는 학생들의 희망과 바람, 학교와 교사의 부당함에 대한 항의가 적혀 있었다. 그리고 학생들이 모두 교실 밖 운동장으로 뛰어나갔다. 선생님들이 교실로 들어오라고 아우성이었지만 우리는 요동도 하지 않았다. 이 일은 다른 학교에도 알려져 분위기를 술렁이게 했고, 비슷한 성격의 항의가 진행된 곳도 있다.

곧 징계위원회가 열렸다. 그 자리에서 주동자들은 3학년이라 하더라도 모두 즉시 퇴학시켜야 한다는 강경한 의견이 주로 나왔다. 그때 담임선생님이 읍소했다.

"학생들이 이렇게 나선 데는 우리 교사들의 잘못도 있습니다. 집단행동은 위험하지만, 두 달 후 졸업할 학생을 퇴학 처분하는 건 교육자로서 가혹한 선택입니다. 선처를 바랍니다."

담임선생님의 호소가 징계위원들의 마음을 움직였다. 우리는 각각 징계를 받긴 했지만, 퇴학은 피할 수 있었다.

2010년 10월 경기도를 시작으로 광주, 서울, 전북 등에서 학생인권조례를 제정해 시행 중이다. 학생의 인권이 학교 교육 과정에서 실현될 수 있도록 함으로써 학생의 존엄과 가치 및 자유와 권리를 보장한다는 가치를 담고 있다. 고등학교 시절, 나와 내 친구들이 간절히 바라던 것이 제도화되어 뿌듯하다. 하지만 강원도교육청은 보수 단체의 반발을 이기지 못해 아직 학생인권조례를 제정하지 못하고 있다. 그날의 종이비행기가 지금도 강원도 하늘을 떠돌고 있는 것 같아 가슴 아프다.

시대의 아픔을 넘어

정의로운 선배를 좇아서

천신만고 끝에 고등학교를 졸업하면서 진로를 정했다. 고등학교 때 전공이던 컴퓨터 프로그래밍을 본격적으로 하는 게 가장 좋겠다고 판단했다. 컴퓨터가 점점 더 중요해지는 시대이고 적성에도 잘 맞았다. 나는 동우전문대학 전자계산과에 입학했다.

하지만 공부에 전념하기에는 눈앞의 현실이 너무나 참담했다. 부패한 재단이 전횡과 비리를 일삼았다. 가장 의분을 일으킨 일은 김용갑 열사의 의문사였다.

김용갑 선배는 학보사 기자로 활동하면서 도서관 문제 등 학내 문제에 관심을 두고 취재 활동을 하며 편집 자율권을 요구했다. 이후 동우학원민주실천위원회에 가입해 활동하면서 학생회의 전국대학생대표자협의회(전대협) 가입을 추진했다. 1989년 11월에는 총학생회장에 당선되었고 장학금과 부동산 투기 등 재단 비리를 밝히기 위한 학내 집회를 여는 등 재단과 맞선 투쟁을 전개했다. 학교와 재단에는 김용갑 선배가 눈엣가시 같은 존재였다.

김용갑 선배는 총학생회가 정식 발대식을 치르기도 전부터 학교 직원과 몇몇 폭력배 학생들에 의해 일곱 차례나 납치, 폭력, 사퇴 협박에 시달렸다. 그리고 총학생회 발대식이 예정되었던 당일 새벽 의문의 뺑소니 교통사고를 당해 목숨을 잃었다. 다음날 범인이 자수했는데, 학교 당국의 사주로 운동권 학생들을 폭행하고 협박하던 폭력 학생이었다. 재단과 학교 측의 개입이 너무나 의심스러운 상황이었다. 1990년 3월에 벌어진 이 일은 내가 입학한 1993년에도 그 진상이 여전히 감추어져 있었다.

학교에서는 연일 집회와 시위가 벌어졌다. 나는 심각한 고민에 빠졌다. 어떤 길을 선택하느냐에 따라 삶이 완전히 달라질 것이기 때문이다.

동아리연합회가 주관하는 큰 집회에 참여했다가 뒤풀이 자리도 함께했다. 그때 자기소개를 하는 시간이 있었는데, 이때 내 고민을 털어놓았다. 그 자리의 누군가가 '조국과 청춘'이라는 동아리에 찾아가 보라고 권했다. 나는 다음날 조국과 청춘 동아리방을 찾았고 그곳에서 운명처럼 고상만 선배를 만나게 되었다.

고상만 선배는 김용갑 열사와 함께 재단에 맞섰었다. 김용갑 선배가 싸늘한 시신으로 돌아온 후에는 진상 규명을 요구하는 집회를 전개했다. 세상은 묵묵부답이었다. 재단과 결탁한 폭력배만이 갖은 위협을 가해올 뿐이었다. 고상만 선배는 자기 죽음으로 진실을 알리고자 했다. 교정에서 온몸에 석유를 끼얹고 라이터를 켰다. 하지만 석유에 젖은 라이터돌에는 불꽃이 일지 않았다. 그의 모진 삶은 계속 이어져야 했다.

분신 후 고상만 선배는 학교에서 후배들을 독려하며 학생운동을 주도했고 지금까지 인권운동가로 활동하고 있다. 김용갑 열사의 안타까운 죽음을 잊지 못해서일까, 의문사 사건을 조사하는 데 특별한 열정을 쏟았다.

그리고 또 한 사람의 선배가 기억난다. 고상만 선배의 89학번 동기인 정연석 선배이다. 1993년 3월 새내기 때 마주한 선배는 마스크와 목도리로 얼굴을 가렸고 야구 모자를 푹 눌러써서 인상을 바로 알아차릴 수 없었다. 그렇지만 이 사람이 1991년 분신한 그 선배라는 걸 금세 짐작할 수 있었다. 머리 위에서 온몸으로 번진 화염. 분신 후 2년이 지나고 수십 번의 생사를 넘는 수술이 감행되었지만, 여전히 선배의 얼굴은 그때의 잔혹한 상처가 그대로였다. 그러나 지금도 잊을 수 없는 건 여전히 불타오르는 두 눈빛이다.

그리고 지금껏 26년의 세월을 동고동락하며 나와 함께하고 있는 선배이자 같은 심장을 가진 동지로서 오늘을 살고 있다. 정 선배는 5·18 특별법 제정과 특검을 도입하는 시위 때 구속된 나와 후배들을 위해 옥바라지를 도맡았고, 경비를 마련하기 위해 후원회를 조직하고 일일 호프를 열고 뛰어다니면서도 정작 자신의 수술 날짜는 미루었다. 이렇게 바보스러운 정연석 선배를 생각하면 가슴이 미어진다. 선배에 대한 죄송함이 너무 크다.

운명일까? 어쩌면 선배가 이루려고 했던 그 꿈을 내가 물려받아야 하는 이어짐이 있는 건 아닌지 하는 의문이 들 때가 많다. 아니다, 나는 정연석 선배뿐 아니라 시대에 함께한 많은 선후배에게 부채 의식을 지녔는지 모른다. 정치인의 역할을 등 떠밀려 하든 자의로 하든 나는 이제 함께해온 분들께 소명을 다할 것이다. 그리고 그분들의 시선과 마음이 떠난다면 난 언제든 정치 현장에서 사라질 것이다.

투쟁의 현장에서

조국과 청춘은 사회과학을 공부하는 동아리였다. 그 무렵 사회과

고 김용갑 학원민주열사 초혼장.
비리 재단과 맞서던 중 의문사한 김용갑 열사는 내 삶이 향해야 갈 길을 보여주었다.

학 동아리는 대부분이 운동권 동아리이다. 이곳 소속으로 모든 집회를 참여하며 열심히 투쟁했다. 그렇다고 공부를 게을리한 것은 아니다. 프로그래밍 역량을 높이는 데 흥미를 느꼈고 C++ 언어를 더 배우고 싶은 생각이 들었다. 1학년 1학기를 마친 후 휴학을 하고 서울에 있는 학원에 등록했다. 3개월 과정이 끝나자 실력이 꽤 늘었다. 학원에서 취업을 알선했다. 준공공기관이었다. 경험을 쌓는 것도 나쁘지 않다는 생각에 그곳에서 일했다.

첫 월급을 타서 아버지 내의를 사고 5만 원을 함께 넣어 보내드렸다. 그리고 다음 해 1월 아버지가 갑작스럽게 돌아가셨다. 아버지와는 그다지 행복한 기억이 없었지만, 실향민의 한을 안고 고생하다 떠난 아버지가 한없이 가련하고 서러웠다.

복학한 후부터는 학생운동을 더 열심히 했다. 김용갑 열사가 그랬던 것처럼 학생 대표자인 총학생회장으로서 재단과 학교 측에 당당히 맞서고 싶었다. 그런데 이해하지 못할 일이 생겼다. 학칙에 총학생회장 입후보 자격으로 학점 3.0 이상이 명시되어 있었는데, 교양과목인 영어와 윤리에서 F가 나와 학점이 2.7이 되었다. 수업도 꼬박꼬박 들어가고 리포트도 다 내고 시험도 잘 치르고 심지어 발표까지 한 과목에서 F를 받은 건 납득할 수 없었다. 강성 운동권이 총학생회장이 되지 않도록 하는 학교 측의 비열한 짓이라고 할 수밖에 없었다.

1995년 9월부터는 동아리연합회장으로 활동했다. 그 무렵 5·18 민주화운동 진상 규명을 위한 특검을 도입하고 책임자를 처벌하라는 운동이 불길처럼 전국적으로 번졌다. 나도 이 운동에 주도적으로 참여했고 특검 도입에 미온적인 민주자유당에 항의하는 집회를 기획했다. 정재철 의원 사무실을 항의 방문하면서 인근에서 격렬한 시위를 벌였다.

시위 후 나는 지명 수배가 되었다. 그리고 구속되어 법정에 섰다. 이때 임종인 변호사님이 내 소식을 듣고 다른 변호사 두 분과 함께 달려와 주었다. 임 변호사님의 열정적인 변론 덕택인지 나는 벌금 150만 원이라는 비교적 가벼운 처벌을 받고 석방되었다.

1996년부터 한총련에서 활동했다. 강원대학교에 강원지역총학생회연합(강총련) 사무실이 있었는데 그곳을 활동 거점으로 삼았다. 내가 강총련에서 일하고 있는 동안 그때는 이름도 모르던 아내는 강원대학교 생물학과에 다니고 있었다. 학교 식당에서든 휴게실에서든 마주치거나 스쳐 지나가지 않았을까.

그해에 이른바 '연세대 사태'가 터졌다. 8월 13일부터 8월 20일까지 대학생 2만여 명이 경찰에 포위되어 연세대학교 안에 갇힌 채로 농성을 벌였다. 백골단 3개 부대가 학교 건물 안까지 들이닥쳐 학생들을 폭력적으로 강제 해산시켰다. 이 과정에서 5,000명을 강제 구인하고 400여 명을 구속했다. 나는 그 현장에 함께했다. 유서를 써서 가슴에 품고 있었다.

다행히 잡히지 않고 현장에서 나왔다. 하지만 이 일을 계기로 한총련에 대한 탄압이 더욱 심해졌다. 내가 있던 강총련 사무실도 압수 수색을 받았고 내 통장이 발견되어 지명 수배를 받았다. 나는 전국을 떠돌며 기약 없는 도피 생활을 해야만 했다.

관행이라는 이름의 부패와의 싸움

시민운동가로서 새로운 출발

1997년 12월에 지명 수배가 풀렸다. 나는 속초로 돌아왔다. 그리고 앞으로 어떻게 살아갈지를 진지하게 고민했다. 불의와 부패가 여전한 세상을 바꾸는 데 헌신하겠다는 생각은 변함이 없었다. 다만 그 자리가 어디일지를 숙고해야 했다. 일단 취업을 했다. 그리고 '다시 만난 사람들'이라는 모임에 참여했다. 학생운동이나 시민운동을 했던 지역 사람들이 함께 모여 현안에 대해 토의하고 지역 운동도 후원하는 비공식 모임이었다.

내가 직장 생활을 시작한 지 1년쯤 되었을 때, 국제투명성기구 한국본부가 반부패국민연대라는 이름으로 설립되었다. 속초·고성·양양 지역에도 지부를 조직하려 했다. '다시 만난 사람들' 회원 가운데 몇몇이 사무국장으로 나를 추천했다. 유급 활동가라고 하지만 내가 받던 봉급의 절반도 안 되는 월 30만 원이 소득의 전부였다. 그러나 나는 주저하지 않고 그 자리를 선택했다. 반드시 내가 있어야 할 곳이라는 확신을 가졌기 때문이다.

나는 학생운동을 하면서 재단과 학교 당국의 참담한 부패 실태를 여실히 들여다보았다. 한 청년은 꽃다운 목숨을 바치면서까지 그 부패와 맞서 싸웠다. 나는 대학뿐 아니라 우리 사회 곳곳에 스며든 부정부패에 의분을 느끼고 있었다. 더욱이 검찰, 경찰, 지방자치단체, 지방의회 등 힘 있는 기관들은 관행이라는 미명으로 오래된 부패를 용인하고 있었다.

대중도 언론에 오르내리는 대형 뇌물 사건이 아니면 일상에 만연한 부정부패에 대해 큰 문제의식을 느끼지 못했다. 간단한 사례를 보자. 속초·고성·양양에는 호텔이나 콘도 등의 숙박 시설이 많다. 성수기에는 빈방을 찾기 어렵다. 그런데 검찰 등 기관에서는 일방적으로 팩스를 보내 언제부터 언제까지 몇 개 호실을 비워두라고 지시하듯 했다. 그러면 해당 숙박 시설 관리자는 이것을 거절하지 못했다. 음주 운전에 걸린 고위 공직자가 처벌을 받지 않고 넘어가는 일도 있었다.

시민운동을 하며 청초호유원지사업의 실태를 고발하고
기초단체장과 기초의회 의장의 판공비 공개를 이끌었다.

이런 상황에서 반부패 활동을 통해 사회적 인식을 바꾸고 부정부패를 미리 막는 시스템을 갖춤으로써 사회 전반의 부정부패를 뿌리 뽑는 운동을 펼치는 게 활동의 목표였다. 본부에서 소식지를 받아서 사무실과 상가 등을 방문해 돌리고 회원을 확보하는 일부터 시작했다. 발대식을 할 때는 100명 남짓이던 회원이 300명까지 늘었다.

나는 가장 힘을 가진 기관의 부패 관행을 없애고 투명성을 확보하는 게 효율적인 운동 방안이라고 생각했다. 지역 차원에서는 지방 정부와 의회가 그 대상이 되었다.

판공비 공개 소송

2000년, 나는 '정보공개운동 속초시민연대'를 조직하고 속초시장과 속초시의회 의장을 대상으로 업무추진비(판공비)를 공개하라는 1인 소송을 제기했다. 뜻있는 분들과 몇몇 시민 단체가 나를 후원해주었다. 과거 관행에 익숙한 사람들은 이 소송을 의아하게 바라보았다. '판공비는 알아서 쓰면 된다'는 게 그들의 인식이었다. 판공비로 개인적 선물을 하든, 유흥을 즐기든 상관할 바 없다고 보았다. 시민의 혈세로 조성한 공적 자금을 사적인 수입의 일부처럼 여긴 것이다.

나를 향해 '유별난 놈'이라고 비난하는 목소리도 있었다. 시의회와 시청 공무원들도 자주 찾아와 압박과 회유를 했다. "취지는 이해하지만, 이렇게까지 할 필요가 뭐 있냐?"는 게 한결같은 이야기였다. "앞으로 잘할 테니, 일단 소송부터 취하하라"고 윽박지르는 사람도 있었다.

하지만 결코 물러설 수 없는 사안이었다. 나는 시민들에게 소송 취지를 더 활발하게 홍보하며 뜻을 모아갔다. 1심과 2심 모두 내가 승소한 재판은 대법원까지 갔다. 2002년 2월 대법원은 속초시와 속초시의회가 판공비 사용 내역을 투명하게 공개할 것을 명령했다.

전국 최초로 지방자치단체와 지방의회의 판공비 사용 내역을 주민이 자유롭게 열람할 수 있다는 판결이 남으로써 모든 지방자치단체 주민이 같은 권리를 행사할 근거가 마련되었다.

그 밖에도 지역 공공기관의 부당한 권력 남용, 청탁과 접대 골프 등의 만연한 부패 관행 등을 고발하며 활동을 전개했다. 그중 기억에 남는 것으로 청초호유원지사업의 실태를 널리 알린 일이 있다. 청초호유원지사업은 원금 817억 원에 이자 388억 원 총 1,205억 원의 부채를 얻어 무리하게 진행되었다.

하지만 순수 민간 분양이 71억 원밖에 되지 않아 사실상 실패했다. 빚이 시의 일반회계 예산을 넘어서는 수준이 되고 엄청난 부채

부담을 지는 상황에서 속초시는 특별회계에서 75억 원을 편성해 유원지 일부를 분양받는 계획을 세웠다. 빚을 내 조성한 시 소유 유원지를 시민의 혈세로 다시 사들이는 어처구니없는 행태였다.

우리는 관광 자원 조성이라는 목적을 달성하지 못하고 환경적 가치가 높은 석호를 파괴하는 결과를 가져온 부실 덩어리의 사업을 강하게 고발했다. 결국 속초시는 참여연대가 예산을 허비한 기관에 주는 '밑빠진독상' 수상자로 결정되는 불명예를 안고 말았다.

정치는 새로운 차원의 운동

든든한 동반자

반부패국민연대 사무국장으로 일하면서 지부 소식지를 만들었다. 본부 소식지가 있었지만, 상세한 지역 활동을 전하는 데는 부족함이 많았기 때문이다. 소식지를 편집하고 디자인하는 광고기획사를 자주 드나들게 되었다. 그러면서 사장인 외삼촌을 도와 일하던 여성 직원과 조금씩 친밀해졌다. 조용한 분위기였지만 강단이 느껴지는 그녀에게 매력을 느꼈다. 가끔 함께 식사하며 일을 의논하던 단계에서 발전해 본격적으로 데이트를 하며 1년가량 연애를 이어갔다. 그리고 2003년 10월에 결혼했다.

경제적인 부분에 대한 염려가 많았다. '다시 만난 사람들'의 후원으로 급여가 제법 올랐지만, 여전히 박봉이었다. 물려받은 재산이 있는 것도 아니고 살림할 집도 없었다. 그나마 어머니의 도움을 받아 작은 아파트 전세를 구한 게 천만다행이었다. 하지만 아내가 더 놀라고 걱정할 일은 따로 있었다. 결혼한 이듬해 국회의원 선거에 나설 줄은 나도 아내도 짐작하지 못했다.

그 무렵 나는 열린우리당 창당준비위원장을 맡아 정치의 세계로 접어들고 있었다. 2002년 봄, 지역 시민사회단체 추천으로 시의회 의원에 출마했다 낙선한 적이 있지만, 그것은 시민운동의 연장이었지 본격적인 정치 투신은 아니었다. 나는 여전히 시민운동가였다.

하지만 창당과 함께 내 출마가 가시화되었고 나는 고민을 거듭한 끝에 정치의 길로 들어서게 되었다. 내가 입후보의 뜻을 밝히자 아내는 깜짝 놀랐다. 하지만 뜻밖에도 흔쾌히 동의하며 나를 후원해주었다. 그 후 아내는 정치하는 남편 탓에 여러 차례 수모를 겪었다. 정동영 열린우리당 당 의장의 노인 폄하 발언이 나왔을 때는 지역 어르신들이 선거 운동을 하는 아내에게 면박을 주었다.

"투표하지 말라고 할 땐 언제고…."

아내는 마치 자신이 잘못을 저지른 것처럼 무릎을 꿇고 정중히 사과했다.

아내는 정치하는 남편 덕에 노래방에도 못 간다고 한다. 주변의

아내와 두 아이와 함께한 행복한 시간. 우리 가족은 나의 든든한 후원자이다.

눈을 의식해 행동 하나하나에 예민하게 신경 쓸 수밖에 없다. 자신의 이름을 잃어버리고 누구의 아내로 규정되는 것 역시 받아들이기 힘든 일이다. 하지만 힘들어도 내색하지 않고 묵묵히 나를 뒷받침해준다. 집안일이며 경제적인 부분까지 아내가 도맡아 한다. 사교적인 성격이 아니라 다양한 모임에서 활발한 활동을 하지는 않지만 보이지 않는 곳에서 궂은일로 봉사하는 아내가 자랑스럽다.

정치를 다시 생각한다

나는 정치를 우리 사회를 좀 더 깨끗하고 정의롭고 풍요로운 곳으로 만들려는 사회운동의 하나라고 생각한다. 일찍이 내가 몸을 던졌던 학생운동이나 시민사회운동과 본질이 다르지 않다고 본다. 모두가 함께 행복해지는 길을 닦는 일이다.

그런데 굳이 정치를 해야겠다고 마음먹은 데는 정치라는 공간에서만 할 수 있는 일들을 발견했기 때문이다. 학생운동과 시민사회운동을 하면서 만연한 부패와 서민의 피폐한 삶을 보고 안타까워했으며 그 부당함에 맞서서 싸웠다. 하지만 부패의 고리를 끊고 서민의 삶을 부축하는 영속적인 시스템은 법과 제도로 이루어지며 이것은 정치의 영역이라는 사실을 알게 되었다.

선거를 통해 공직을 차지하는 게 정치라고 생각했다면 나는 정치를 엄두도 내지 않았을 것이다. 또 다른 그리고 강력한 운동이라고 생각했기에 정치에 발을 들여놓을 수 있었다.

나는 내가 태어나 자랐고 지금까지 발을 딛고 사는 내 지역을 사랑한다. 유홍준은 『나의 문화유산 답사기』에서 “사랑하면 알게 되고 알게 되면 보이나니, 그때 보이는 것은 전과 같지 않으리라”고 했다. 지역을 사랑하는 마음이 깊어질수록 더 상세히 알게 되고 환하게 눈에 들어왔다.

우리 지역이 예전과 달리 보였다. 우리 지역의 진정한 아름다움과 강점은 무엇인지, 무엇을 어떻게 실천해야 우리 지역이 잘될지를 깨닫게 되었다.

이것을 실천에 옮기고 싶다. 그러기 위해서 정치라는 영역이 필요했다. 정치는 일종의 지역 운동이다.

지역을 발전시키고 지역민의 삶을 개선하는 게 목표가 되어야 한다. 권력이 부여되면 그 목표를 실현하는 데 더 효과적이다. 그래서 선거를 하는 것이다. 만약 끝끝내 자리가 주어지지 않더라도 나는 계속 지역을 위해 헌신할 것이다.

공직을 얻게 되더라도 그 자리에 연연하지 않겠다. 이 시대가 그리고 내가 아끼고 사랑하는 사람들이 준 사명을 감당하기 위해서는 언제든 내려올 수 있어야 한다. 거기에 대한 두려움도 없어야 한다.

강직하지만 유연하게

운동의 하나로서 정치를 한다는 것은 약자의 편에 서게 됨을 의미한다. 강자들의 특권과 반칙을 막고 어렵고 힘든 사람의 권익을 높이는 데 헌신하는 정치가 필요하다.

요즘 언론이나 사람들의 대화에 '갑질'이라는 단어가 자주 등장한다. 그만큼 우리 사회가 피폐해졌다는 증거다. 힘 있는 사람이 약한 사람을 향해 차별과 폭력, 폭언을 일삼고 괴롭히는 행태는 사라져야 한다. 개인적 갑질도 문제지만 사회 제도로 구조화된 갑질은 더 크고 광범위한 고통을 준다. 힘없고 가난한 사람 곁에 서서 사회적 갑질을 해결하는 게 정치의 역할이다.

여러 차례 선거를 치르면서 나의 진심이 전달되기가 얼마나 어려운지를 절실히 깨달았다. 그 사람들을 설득하는 데는 시간과 진정성, 끈질긴 인내와 노력이 필요하다. 정치를 하려면 이것을 기꺼이 감내할 수 있어야 한다. 선거라는 냉혹한 평가 과정에서 점수를 받을 수 있도록 내공을 쌓아야 한다.

강직하지만 유연해야 한다. 변화를 체화시키는 역량이 필요하다. 나의 사회관, 경제관, 통일관만을 주장할 수는 없다. 현재 상황과 어떻게 융합시켜서 가장 좋은 방안을 만드는 예술가적 능력이 필요하다. 이런 숱한 고민과 성찰 속에서 정치인 이동기가 단련되고 있다.

4장

다시 일어서는 속초·고성·양양

근본적 혁신이 부활의 길

정치 리더십 교체가 관건

"현재는 모든 과거의 필연적인 결과이며 모든 미래의 필연적인 원인이다." 미국 작가 로버트 잉거솔이 남긴 유명한 말이다. 속초·고성·양양의 침체된 현재는 발전을 위한 노력이 부족했던 과거로부터 비롯되었다고 할 수 있다. 특별히 정치 리더십의 역량 부족이 누적되었다고 할 수 있다.

오랜 기간 보수 정당이 독점하다시피 국회의원을 배출해온 속초·고성·양양에서는 부진을 딛고 일어설 혁신적 시도가 거의 없었다. 그때그때 대증요법으로 난처한 상황만 모면하고자 했다. 곶감

꼬치에서 곶감 빼 먹듯 소중한 자원과 역량을 조금씩 헐어 써 없애버리고 있는 형국이다.

현재의 부진은 중구난방으로 사업을 벌여 예산을 끌어온다고 해결할 수 있는 성격이 아니다. 근본적으로 달라진 환경에 대응할 획기적이며 지속 가능한 대책을 마련해야 돌파할 수 있다. 넓게 그리고 멀리 보는 시야로 꾸준히 추진해나가야 한다.

2019년 최악의 산불이 났을 때, 속초·고성·양양을 대표하는 국회의원이 보인 모습은 실로 낯 뜨거웠다. 자신들이 만들어놓고 제대로 손보지 않은 법과 규정에 따라 지급되는 보상금 규모를 빌미로 정부를 공격할 거리를 찾는 행태를 보면서 절망감이 생길 정도였다.

소 잃고 외양간 고치는 사람은 어리석지만, 어느 정도 이해할 수 있다. 하지만 거듭해서 소를 잃어버리면서도 외양간 한 번 손보지 않는 사람은 구제불능이다. 산불과 태풍 등 자연재해가 빈번한 속초·고성·양양 지역의 국회의원이라면 체계화된 방재와 복구, 실질적인 보상을 위해 법과 제도를 탄탄히 정비하는 게 의무다.

그런데 그 긴 세월 동안 무엇을 했는가? 아무 생각 없이 손을 놓고 있다가 일이 터지면 그제야 화들짝 놀라서 허둥댄다. 자기 책임은 느끼지 않고 손쉽게 남 탓만 한다.

속초·고성·양양 국회의원은 산불 이후 '강원산불 피해구제 및 지원 등을 위한 특별법안'을 발의했다. 긴급한 사안을 해결하기 위해 노력한 점은 인정한다. 하지만 여기서 더 나아가지 못한 게 크게 아쉽다. 산불이 2019년 한 번으로 끝날 것인가? 다른 자연재해는 어떻게 할 것인가?

과거에는 산불로 상가가 피해 보는 일이 거의 없었는데, 2019년 산불로 상가가 불타서 소상공인의 피해가 컸다. 앞으로 이런 부분은 어떻게 대응할 것인가? 방재와 복구, 보상을 위한 근본적인 법령을 마련하기 위해 연구한다는 소식을 들리지 않는다.

지역민의 아픔을 나누지 못하는 정치, 멀리 보지 못하는 정치, 근본적인 해결책을 만들지 못하는 정치, 자기반성이 없는 정치, 책임을 미루는 정치 아래에서 진정한 지역 발전은 이루어질 수 없다.

속초·고성·양양이 다시 힘차게 날아오르기 위해서는 정치 리더십을 바꾸어야 한다. 수십 년 태만을 저질러놓고도 면죄부를 찾아다니는 보수 정당의 무능과 무책임에서 벗어나야 한다. 보수 정당의 깃발만 꽂으면 당선되는 지역에서 혁신의 싹이 자랄 수 없다. 의식이 바뀌고 리더십이 바뀌고 혁신으로 나아가야 할 때이다.

지속 가능한 발전

1970~1980년대 속초·고성·양양은 독보적인 관광지였다. 계절마

속초·고성·양양이 발전하려면 정치 리더십부터 변해야 한다.

다 펼쳐지는 설악과 동해의 아름다운 풍광을 즐기기 위해 수많은 사람이 모여들었고 즐겁게 지갑을 열었다. 하지만 지금은 달라졌다. 주변 지역으로 관광객들을 빼앗기는 실정이다.

콘도미니엄에서 삼겹살을 구워 먹고 저녁에 나와서 노래방이나 나이트클럽에 가는 게 설악권 관광의 일반적인 형태다. 강렬한 인상, 색다른 즐거움을 선사할 거리가 없다. 땜질식 난개발로 설악권이 병든 것도 하나의 원인이다. 상습적인 교통 체증을 해결할 묘안도 나오지 않고 있다.

이런 상황에서는 건물이나 시설 하나 더 늘린다고 크게 달라지지 않는다. 또 다른 난개발의 위험이 있을 뿐이다. 지속 가능한 발전을 위해 담대한 포부를 담은 청사진을 만들고 이를 전략적으로 수행해야 한다. 국내뿐 아니라 성공한 관광 도시들의 사례를 심층적으로 연구해서 그 도시들보다 더 크고 근본적인 혁신을 이루어야 한다.

사람이 희망이다

속초·고성·양양의 발전 공약은 더디게 진행된다. 그래서 숙원 사업이 된다. 동서고속화철도는 노태우 전 대통령이 공약한 것이다.

그리고 이후 6명의 대통령이 더 집권했는데도 아직 첫 삽을 뜨지 못하고 있다. 이것은 지역 정치력의 부재를 뜻한다.

어르신들은 힘 있는 큰 인물이 나와서 정치력을 발휘해야 문제가 해결된다고 지적한다. 과거 김종필 전 총리가 충청권을 캐스팅보트로 삼아 영향력을 발휘했듯이, 강원도를 캐스팅보트로 삼을 수 있어야 한다고 말한다.

중앙 정부에 구걸하지 않고 마땅한 권리를 당당히 요구해서 가져오는 정치력이 발휘되어야 지역이 성장할 수 있다. 그러려면 인재를 키워야 한다.

청와대 비서실에 근무하던 시절 강원도 사람이 얼마나 되는지 찾아보았다. 500명이 근무하는 청와대에 강원도 출신은 15명이 안 되었다. 3%도 안 된다. 지역적 결속력이 강한 한국 사회에서 출신 지역 인재의 부족은 지역의 낙후로 이어질 위험이 있다. 중앙 정치 무대에서 강력한 발언권을 행사하며 지역을 대변할 정치력 있는 큰 인물을 육성해야 한다.

나는 열린우리당 국회의원 후보로 출마한 후 15년간 정당 활동을 하며 정치력을 몇 배나 키웠다. 역량도 늘렸다. 청와대, 도지사, 중앙 부처 장차관, 국회의원, 기업 등과의 인적 네트워크도 넓고 촘촘해졌다. 이제 이 능력이 지역의 발전과 지역민의 행복을 위해 쓰이기를 바란다.

원외의 지역위원장이지만, 나에게도 수많은 민원이 들어온다. 그럴 때면 사적인 이해득실을 따지지 않고 헌신적으로 나선다. 정부 부처를 찾아 장차관도 만나고, 기업 관계자도 만나며 서로 도움이 될 사람을 연결해준다.

팔은 안으로 굽는다. 나를 알고 내 진정성과 역량을 신뢰하는 사람은 꼭 필요할 때 힘이 될 가능성이 커진다. 그럼으로써 정치력이 발휘된다.

지금도 플라이강원, 동서고속화철도, 해중경관사업 등 지역 현안 사업의 순조로운 추진을 위해 국토교통부, 해양수산부 장차관을 여러 차례 만나는 중이다. 사업의 정당성과 시급성을 강조하면서 사안을 잘 풀어가고 있다.

내가 국회로 진출해 더 큰 정치적 힘을 갖게 되면 그것이 곧 우리 지역의 발전으로 이어지리라 굳게 믿는다. 자리가 없어도 의미 있는 정치력을 발휘해왔으니 공식적 지위를 갖는다면 정치력이 한층 더 커질 것이다.

국회의원은 지역민의 대표인 동시에 국민 전체의 대표이다. 국회의원이 자기 지역에 연연하면 안 된다고 말하는 분도 있다. 이 의견을 존중하지만 동의하지는 않는다. 우리나라는 지방자치의 토대가 약하다. 재정적인 자립도 되지 않았다. 속초·고성·양양과 같이 취약한 곳도 있다. 이런 지역 출신의 국회의원들은 더 적극적으로 지역을 대변하며 정치력을 발휘하고 중앙 정부와 지역의 가교 역할을 담당해야 한다. 그러면서 국가와 지역이 균형 있게 발전한다.

속초·고성·양양이 움츠렸던 날개를 쭉 펴고 높은 곳으로 비상하기 위해서는 사람을 키워야 한다. 사람이 희망이다. 그중에서도 중앙 정치 무대에서 영향력을 발휘할 큰 정치인의 역할이 시급하다. 나 이동기가 그 벅찬 역할을 자임하고자 한다.

균형 잡힌 지역 발전

정치력 영향력 제고

동서고속화철도 조기 착공, 오색케이블카사업 추진 등 지역 현안 해결을 위해 중앙 부처 장차관 등을 만나며 동분서주하면서 강원도, 그중에서도 설악권이 특히 홀대받는 지역임을 새삼 깨달았다. 캐스팅보트를 자임하며 당당하고 꿋꿋하게 민의를 관철하는 정치력이 부재했기 때문이다. 긴 시간 보수 정당 출신의 국회의원들이 바통을 이어간 결과는 참담했다.

강원도는 깨끗한 공기와 물, 아름다운 자연과 휴식을 제공해왔다. 심지어는 초고압 송전탑을 통해 수도권으로 전력까지 공급했다. 그런데 받고 누린 것이 별로 없다. 공약한 사업조차 시간이 지체되면서 숙원이 되고 말았다. 오색케이블카 같은 숙원 사업이 무산되는 결과를 접하며 허탈한 생각까지 들었다.

하지만 정부와 중앙 정치를 향해 불만을 내뱉는 것만으로는 문제를 해결할 수 없다. 우리 안에 숙원을 풀어낼 정치력을 갖지 못한 것 또한 자성해야 한다. 정면으로 부딪쳐 하나하나 문제를 풀어가고 사업을 추진하는 것이 과제이다.

대표적으로 동서고속화철도를 최대한 빨리 착공해야 한다. 노태우 대통령 후보가 1987년 공약한 후 30년이 더 지났는데도 첫 삽도 뜨지 못하고 있는 현재 상황을 극복하고 조기에 착공해 무사히 완공될 수 있도록 정치적 영향력을 발휘해야 할 것이다.

문화관광부, 해양수산부 등 우리 지역과 상관관계가 큰 정부 부처 일부와 산하 기관, 연구기관 등을 유치하는 일에도 정치력이 요구된다. 전통적 관광 중심지에 한국관광공사나 한국문화관광연구원 등의 기관 본부나 일부 기능이 들어서는 것은 자연스럽다. 오랜 수산업 지역에 해양수산부, 수산업협동조합, 한국해양수산연구원 등의 정부 부처와 공공기관이 근거를 두는 것도 이상적이다. 물론 이런 기관을 유치하기는 쉽지 않다. 탄탄한 논리를 바탕으로 타당성을 주장하고 이전을 추진하는 강단과 힘이 있어야 한다. 내가 더 큰 정치적 역량을 갖게 된다면 속초·고성·양양에 지역 특수성과 잘 어울리는 공공기관을 유치하는 데 그 힘을 쓰고 싶다.

양양공항 활성화

2019년 3월, 양양공항을 거점으로 삼는 항공사 플라이강원이 국제항공운송사업 면허를 받음으로써 양양공항 활성화의 길이 열렸다. 플라이강원은 다른 항공사와는 다르게 외국인의 국내 여행인 인바운드 수요에 집중하겠다는 전략을 세우고 있다. 첫 취항 노선을 양양-제주로 잡은 것은 이런 이유다. 양양공항으로 외국인 관광객 수요가 흡수된다면 지역 관광 활성화의 큰 계기가 마련될 것이다. 관광 인프라를 잘 정비한다면 설악산과 동해, 온천을 지닌 속초·고성·양양과 양양공항이 시너지를 내도록 지원해야 한다.

양양공항의 정비도 시급하다. 그동안 이용자 수가 적어서 존립 이유도 의심받아왔다. 투자가 덜 되었다. 보잉747 같은 대형 항공기를 이용할 수 없으며 단선이라 이착륙 대기 시간이 긴 점은 개선되어야 할 것이다.

양양공항이 북한, 일본, 러시아 등과 연결되는 환동해권 항공 허브로써 지역 발전에 크게 이바지할 수 있도록 정치적 지원이 필요하다.

강원도 최초로 당정협의회를 개최해 지역 현안과 지역 주민의 목소리가
여당과 정부, 청와대까지 전달되도록 해왔다.

설악동 재개발

어린 시절에는 이불 빨래를 가득 안은 어머니와 함께 설악동에 자주 갔다. 그 당시는 상수원 보호 인식이 없어서인지 설악동에 빨래하러 온 사람들이 많았다. 단속도 없었다.

어머니가 개울가에서 빨래하는 동안 나는 아이들과 함께 물놀이를 했다. 고무 대야를 배처럼 타고 개울을 떠다니던 생각이 난다. 불을 피워 밥도 지어 먹곤 했다.

1970~1980년대 설악동은 수학여행의 성지로 불렸다. 신혼여행을 오는 사람도 드물지 않았다. 하지만 관광 산업 변화의 트렌드를 따라잡지 못해 낙후되고 말았다. 물이 많이 부족해졌다. 숙박 시설이 정비되지 않아 관광객들은 설악동에 머무르지 않고 대부분 속초 시내로 나간다.

설악동을 재정비해야 한다. 이곳을 차량 출입을 통제하는 클린 구역으로 지정해 캐릭터 전기차나 트램 등만이 다니도록 하는 것은 좋은 아이디어이다. 관광객들은 가이드의 안내와 설명을 들으며 여행 기분을 낼 수 있을 것이고 상습적인 교통 체증 문제도 일부 해결될 것이다.

낡은 숙박 시설을 속초시가 매입해 재개발하는 방안도 검토해 볼 수 있다. 온천을 활용해 일본의 료칸과 같이 전통적 정취가 넘치는 소형 한옥 호텔 등의 시설로 탈바꿈시킨다면 관광객들의 눈길을 끌 수 있다. 앞에서 말했듯 창작 마을 같은 정주형 공간으로 개발하는 방안도 고려해야 할 것이다.

오색케이블카 재추진

오색케이블카사업은 환경부의 '부동의'로 사실상 백지화되었다. 사업 추진을 위해 비난을 감수하고 열심히 뛰어온 나로서는 매우 아쉽고 허탈한 심정이다. 정부를 성토하는 목소리가 들끓고 있다.

하지만 분노를 발산하는 것만으로는 앞으로 한 걸음도 나아갈 수 없다. 환경부는 정부 내에서도 야당으로 꼽힌다. 여권에서 의욕적으로 추진하던 사업이 좌절되기도 한다. 사업의 중요성에 비해 준비가 부족했던 건 아닌지 다시 들여다보아야 한다. 환경부 심의에서 조사가 미흡한 점이 발견되었다. 폭설을 핑계로 담당 조사원이 현장 실사를 제대로 하지 않았다는 이야기도 들린다.

사업은 원점으로 돌아왔다. 처음부터 다시 시작하면 된다. 철저한 사전 조사 연구가 뒷받침되어야 한다. 유럽의 친환경 개발 사례부터 설악산의 생태계까지 구석구석 세밀하게 조사해야 한다. 관광 활성화와 장애인 이동권 등을 실현하면서 환경 보호라는 또 다른 가치를 침해하지 않는 방안을 찾아야 한다. 공룡 같은 난개발이 아니라 산양 등 동식물 생태계, 자연 경관과 공존을 이루는 개발 방향을 수립하는 것이 출발점이다. 관광 효과를 극대화해 양양 읍내에서 바다를 보며 설악산에 올라갈 수 있도록 구간을 변경하는 것도 검토할 수 있다.

또다시 좌절되지 않도록 탄탄하게 준비하고 갈등을 조정하면서 새로운 계획을 세우자. 환경부의 부동의를 새로운 기회로 삼는 지혜가 필요하다.

금강산관광 재개

2008년 금강산관광이 중단된 후 금강산 육로 관광의 관문이던 고성군이 직격탄을 맞았다. 2007년 한 해에만 34만 명이 다녀갈 정도로 인기를 끌던 금강산관광객의 발길이 끊기자 고성의 상권은 피폐화했다.

금강산관광은 지역 경제 차원을 넘어 남북 화해의 교두보라는 점에서 역사적 의미가 있는 일이다. 물론 남북 화해와 평화는 남북한 당사자는 물론 국제 외교 문제가 얽힌 복잡한 사안이다. 이를 현명하게 풀어가는 성숙한 지혜가 필요하다.

북한을 적으로만 보고 대결 구도를 고집한다면 분단이 고착되고 화해와 평화는 더 멀어진다. 인내를 가지고 화해로 나아가야 한다. 2019년 11월 13일 자유한국당을 뺀 여야 국회의원 157명이 '개성공단·금강산관광 재개 촉구 결의안'을 공동 발의했다. 정치권에서 이런 노력이 더 많이 전개되어야 할 것으로 본다.

고성이 북한으로 향하는 평화의 길목이라는 상징적 공간으로 발전할 수 있도록 금강산관광이 속히 재개되어야 할 것이다. 그리고 통천, 원산 등지로 관광 영역이 확장되는 것도 바람직하다. 이 일을 위해 힘을 보태고자 한다. 실향민의 아들인 나는 아버지가 생전에 그토록 그리워하던 고향을 마음껏 드나들고 싶다.

주민 삶의 질 높이기

24시간 육아센터

나와 아내는 7년 가까이 횟집을 운영했었다. 그때 사업 자체의 어려움보다 우리 부부에게 더 큰 속앓이를 하게 했던 일이 있다. 아이들을 돌보는 문제였다. 부부가 이른 아침부터 밤늦게까지 그리고 주말도 없이 횟집에 매여 있으니 아이들 걱정에 마음을 놓기 힘들었다.

다행히 우리에게는 어머니가 버팀목이 되었다. 한집에 살며 아이를 돌보아주는 사람이 있기에 큰 근심은 지울 수 있었다. 하지만 연로한 어머니가 휴식 없이 두 아이를 돌보는 것은 만만치 않은 일

주민 삶의 질을 높이기 위해 무엇을 해야 할지 늘 경청한다.

이었다. 어쩔 수 없이 공백 시간이 생겼고 혹 어머니의 건강이 나빠지지 않을까 하는 또 다른 염려가 일었다.

우리 부부는 어머니가 있었기에 형편이 매우 좋은 편이었다. 그런데도 노심초사했으니 다른 부모의 상황은 어떨지 그 애타는 마음에 깊이 공감한다.

관광지라는 속초·고성·양양의 지역 특성상 식당 등 자영업을 하는 사람이 많다. 대부분 부부가 함께 일한다. 이런 분들의 상당수가 육아 문제로 고민을 안고 살아간다. 주로 일하는 시간대와 어린이집이나 유치원의 운영 시간이 다르기에 직장인들보다 어려움이 더 크다. 야간과 주말에는 아이들을 맡기지 못해 발을 동동 구르는 일이 잦다.

우리 지역에는 24시간 육아센터가 시급하다. 다른 지역과 다른 특수성이 존재한다. 한밤중이나 주말에도 아이를 돌보는 문제로 고민하지 않도록 지원해야 한다.

나는 이 문제에 관해 깊이 고민하고 설립 방안을 연구해왔다. 국가나 지방자치단체 수준의 공공이 운영하는 24시간 육아센터가 가장 이상적이다. 하지만 지역 간 형평성 문제로 빠른 도입이 어렵다면 민간이 함께 협력하는 방식이라도 시급하게 설립해야 한다. 24시간 육아센터를 시급히 설립하는 게 지역민을 위한 나의 목표 중 하나이다.

보건의료 기반 확충

속초나 고성, 양양에서 흉통을 호소하고 호흡곤란을 일으키는 환자가 생기면 어떻게 될까?

발견한 사람이 급히 신고하면 119 구급차가 출동하고 구급대원이 간단한 응급 처치 후 그 환자를 속초의료원 등 인근 병원으로 옮길 것이다. 그곳에서 다시 응급 치료한 후 가장 가까운 대형 종합병원인 강릉아산병원으로 이송하는 과정을 밟을 것이다. 이 과정은 보통 2시간이 넘게 걸린다. 그런데 이 2시간은 매우 심각한 시간이다. 급성심근경색은 발병 직후 병원에 도착하기 전까지 30%가량이 사망한다고 한다. 발병 2시간 안에 적절한 치료를 해야 하는데, 그 골든타임을 놓치는 경우가 적지 않다.

안타깝지만 이 상황이 속초·고성·양양의 보건의료 현실이다. 종합병원급인 속초의료원이 있지만, 응급 심혈관계 질환에 원활하게 대응할 여건을 갖추지 못했다. 가까운 곳에 대형 종합병원이 있으면 좋겠지만, 지역의 인구 규모로 고려할 때 신설이나 유치가 쉽지 않은 상황이다. 대안은 속초의료원의 응급의료센터를 확충·보강하는 것이다. 또한 종합병원의 분원을 유치하는 방안을 생각해볼 수 있다. 이때는 예산 지원 등이 필요하리라 보인다.

2018년 지방선거에서 어린이병원 설립이 쟁점화되었다. 속초에는 속초의료원과 5곳의 소아청소년과 의원이 있지만, 야간 진료가 어렵고 휴일이나 응급 상황에 대처할 수 없어서 강릉 지역 병원까지 가야 할 형편이기 때문이다. 한밤중에 아이가 아파서 병원 응급실에 가면 소아과 전담 의사가 아닌 일반 응급의가 간단히 약을 처방하고, "더 아프면 내일 큰 병원에 가라"고 말해주는 게 보통인 상황에서 어린이전문병원 설립은 많은 주민의 공감을 샀다.

그러나 속초와 인근 지역의 인구 규모로 볼 때 민간 병원이 장기적으로 어린이전문병원을 운영할 수 있을지는 회의적이었다. 재원이 조달되지 않는다면 실제 운영이 안 되는 더 나쁜 결과가 초래될 수도 있다. 그래서 이 문제는 속초의료원이 소아과 진료 기능을 강화하는 쪽으로 가닥을 잡았다. 의료진 확보와 병동 확장 운영에 필요한 예산은 강원도와 속초시가 각각 40%, 양양군과 고성군이 각각 10%씩 부담한다. 앞으로 속초의료원의 어린이 진료 강화가 잘 진행되는지 관심을 두고 지켜보며 정치와 행정에서 필요한 조치와 지원을 해야 할 것이다.

속초·고성·양양에는 모두 치매안심센터가 설립되었다. 문재인 대통령은 "치매는 국가의 몫"이라며 치매 환자와 가족의 짐을 가볍게 하겠다고 여러 차례 강조했으며 국가 차원에서 실천에 옮기고 있다. 고령화 시대를 맞아 치매는 물론 여러 노인 질환 치료와 요양에 관해 깊은 관심을 두고 개선 방향을 찾아야 할 것이다.

여성이 행복한 지역

앞에서 내 어머니의 삶에 대해 비교적 자세히 이야기했다. 어머니의 삶을 힘겹게 만들었던 가운데 하나가 차별이다. 딸이라서 교육을 시키지 않고 유산 상속에서 제외했다. 남편은 권위적으로 굴었고 폭력적인 언행으로 깊은 상처를 주었다.

물론 우리 사회에서 여성 인권은 크게 개선되었다. 어머니 때와 같은 공공연한 차별과 억압은 존재하지 않는다. 하지만 일상생활과 의식 속에 차별적 문화가 여전히 존재한다. 이것을 바꿔나가는 게 과제이다.

특히 취약 계층 여성의 삶에 관심을 두어야 한다. 나는 속초여성인권센터 운영위원이다. 여기서 안타까운 이야기들을 자주 듣는다. 우리 지역에는 다문화 가정이 많다. 이 가정의 여성 중에서 폭력에 시달리는 분들도 있다. 이 때문에 가출해 위험에 노출되기도 한다. 이들을 위한 보호 시설은 물론이고 보호 제도를 수립하는 게 시급하다. 여성이 행복해야 가정이 행복하고 지역이 행복하며 나라가 행복해진다.

'어머니 정치'를 부르짖는 나는 여성이 행복한 지역, 여성이 행복한 나라를 만드는 데 힘을 더하고 싶다.

근본적인 복지는 일자리

일자리만 있으면…

가끔 일찌감치 고향을 떠난 친구들을 만난다. 소주잔이 오가면 마음속 깊은 곳의 이야기가 나오곤 한다.

“돌아오고 싶어. 진심이야.”

친구의 지친 눈을 보면서 내가 묻는다.

“왜 무슨 일이야, 직장 생활이 힘들어?”

“꼭 그런 건 아닌데…. 퍽퍽하게 서울에서 아웅다웅하는 것보다 고향에서 사는 게 훨씬 마음 편하고 행복하지 않겠어. 아이들한테도 그게 나을 것 같고. 지금 집 전세를 빼면 무리 없이 이사할 수도 있을 테고. 매일 그 생각을 해."

"그럼 그렇게 해. 망설일 것도 없겠네."

내가 토닥거리면 친구는 이렇게 말한다.

"한 달에 200만 원이라도 벌 수 있는 곳만 있다면 언제든 가겠어. 하지만 그런 일자리가 없잖아."

자주 있는 이런 대화는 우리 지역의 현실과 발전을 위한 과제를 생생하게 보여준다. 속초·고성·양양이 발전하려면 일자리가 늘어야 한다.

일자리는 최고의 복지라고 한다. 복지 혜택을 받는 것을 넘어서 근본적으로 자립할 기반을 마련해주기 때문이다. 일자리는 물질적으로뿐 아니라 정신적으로 안정감을 준다. 또한 일자리는 최고의 지역 발전 대책이다. 일자리가 늘면 지역에 사람이 모이고 경제가 활성화되며 탄탄한 공동체가 형성된다.

장기 출장이나 연수 등으로 속초·고성·양양에 일정 기간 머문 사람들은 "이곳에서 살고 싶다"고 말한다. 천혜의 산과 바다, 맑은 공기, 인정 넘치는 사람들을 품은 우리 지역에 살고 싶지 않은 사람들이 어디 있겠는가. 하지만 항상 일자리 문제가 그들의 소망을 단지 꿈으로만 그치게 한다.

요즘 귀촌을 선택하는 사람 중에는 젊은 층의 비중이 꽤 된다. 이들은 연금을 받거나 모아둔 돈을 쓰는 층이 아니다. 적더라도 돈을 벌어가며 생활해야 한다. 그래서 이들이 귀촌을 선택하는 유망 지역은 일자리가 풍부하거나 일자리와의 근접성이 좋은 곳이다.

복합비즈니스지원센터

지역 산업이 활성화되어야 일자리가 늘어난다. 관광이 경쟁력을 갖추고 수산업과 수산 가공업 등이 활성화된다면 속초·고성·양양의 일자리 규모는 자연스럽게 커질 것이다. 또한 양양국제공항과 이곳을 거점으로 삼은 항공사 플라이강원이 자리를 잡으면 많은 일자리가 창출될 것이다. 이것이 본질적인 일자리 대책이다.

이와 함께 별도의 일자리를 창출하는 사업이 병행되어야 한다. 나는 우리 지역의 특수성을 잘 살림으로써 경쟁력을 갖춘 양질의 일자리를 만드는 방안이 무엇일지를 오래 고민해왔다. 그리고 공공기관이나 기업 관계자들과 만날 때면 이에 대해 의논하곤 했다.

언젠가 기업 임원 한 사람과 식사를 하며 이야기를 나눈 적이 있다. 그는 고객 응대 업무 증가로 콜센터를 추가로 만드는 데 대해 고민하고 있었다. 콜센터 특성상 많은 인원이 상주해야 하는데 서울 시내 사무실 임대료가 너무 비싸서 비용 효율이 떨어진다고 한다. 현재는 하는 수 없이 좁은 사무실에 빼곡히 모여 일하는데, 좁

지역에 웃음을 가져올 최고의 복지는 좋은 일자리를 늘리는 것이다.

은 공간이라 직원들의 업무 만족도가 낮고 스트레스도 더 심해진다고 한다. 신설할 콜센터도 똑같은 처지라는 것이다.

그렇다면 콜센터를 속초·고성·양양 같은 지역에 설립하면 되지 않겠느냐고 내가 물으니, 인구가 많지 않은 지역은 인력의 원활한 수급이 곤란해서 어렵다고 답했다. 나는 잘 이해가 되지 않았다. 지역에도 일자리를 원하는 사람이 많기 때문이다. 높은 교육 수준이나 고난도 훈련이 필요하냐고 물으니 그건 아니라고 한다. 그래서 지역 대학 등과 연계해서 교육 훈련 프로그램을 상설 운영하면서 인력을 원활하게 공급할 수 있다면 콜센터를 지역에 설립할 용의가 있느냐고 다시 한 번 더 질문했다. 그는 그렇게만 된다면 적극 검토하겠다고 답했다.

나는 이 방안을 더 연구해보기로 했다. 기업과 공공기관에는 경영, 연구 개발, 생산, 마케팅 등의 핵심 업무 외에도 사무, 고객 관리 등의 지원 업무가 존재하는데 이런 영역은 내부 직원이나 거래처, 고객과의 대면 접촉이 거의 없어 굳이 부동산 가격이 비싼 수도권이나 대도시에 사무실을 둘 필요가 없다.

이런 지원 업무를 집합적으로 처리할 비즈니스센터를 만들고 그곳에 기업과 공공기관의 업무를 유치한다면 지역 일자리를 늘리는데 큰 도움이 될 것이다. 몇몇 기업에 이 계획의 타당성을 물어보았는데, 긍정적으로 답변하는 곳이 많았다. 지역 대학도 관련 교육 프로그램을 운영할 의사가 있다고 했다.

지방 행정, 대학, 지역 사회, 그리고 기업이 협력 체계를 이루어야 복합비즈니스지원센터를 설립하고 안정적으로 잘 운영할 수 있을 것이다. 즉, 높은 수준의 정치력이 필요한 일이다. 이 일에 관심을 두고 현실화를 위해 더욱 노력할 것이다.

차별화된 관광 도시

관광객의 정서 변화에 주목하라

설악산은 한반도에서 가장 수려한 산으로 꼽힌다. 에메랄드빛 물결이 드넓게 펼쳐진 동해도 빼어난 절경이다. 속초·고성·양양은 모든 지역이 부러워하는 천혜의 환경을 안고 있다. 그 강점 때문에 설악권은 최고의 관광지의 위상을 누려왔다. 하지만 지금은 수많은 관광객을 다른 지역에 빼앗기고 과거의 영광을 그리워하는 처지가 되었다.

산과 바다는 변한 것이 없지만, 인심이 달라졌다. 사람들은 작더라도 색다른 것, 강렬한 느낌을 원한다. 청양 천장호, 파주 감악산,

스쿠버다이빙을 즐기는 나는
해양 레저 스포츠에서 속초·고성·양양의 발전 가능성을 본다.

원주 소금산은 알려지지 않은 곳이었다. 그런데 출렁다리를 하나 놓자 이곳을 찾는 사람의 발길이 부쩍 늘었다. 설악과 동해의 아름다움은 여전하지만 잊을 수 없는 강렬한 느낌을 주는 무엇이 부족하다고 지적하는 사람이 많다.

또한 관광의 중심이 경치를 보는 것에서 체험하고 즐기는 것으로 이동했는데, 거기에 대한 준비가 미흡했다. 물론 설악워터피아가 관광객을 끌어오는 데 큰 몫을 해왔지만, 홍천 비발디파크의 기세에 눌렸다.

최고의 자연환경을 기반으로 관광객들이 즐기고 체험할 수 있는 거리를 풍부하게 제공함으로써 시너지를 얻을 수 있을 것이다. 국립산악박물관과 등산학교는 좋은 기반이다. 더욱 홍보하고 이와 연계한 전략을 짜는 게 효율적이라 본다.

해양 레저 스포츠의 가능성

나는 서핑 환경을 조성해야 한다고 일찍부터 계속 주장해왔다. 하지만 책임 있는 정치인이나 행정가들은 내 주장을 귀담아듣지 않았다. 우리가 주춤하는 사이 강릉이 선수를 쳤다. 지금 서핑에 관심을 두기 시작했지만, 선발 주자의 이점을 빼앗긴 게 못내 아쉽다.

속초·고성·양양이 주력해야 할 부분은 해양 레저와 스포츠이다. 양양에 마리나요트가 있지만, 서핑과 스쿠버다이빙, 제트스키 등 다양한 활동 기반을 빨리 갖추는 게 바람직하다.

국내에도 해양 레저 스포츠를 즐기는 사람이 늘어나는 추세지만, 전 세계 해양 스포츠 인구는 무시할 수 없는 수준이다. 이들은 독특한 경험을 찾아 지구 곳곳을 누빈다. 인프라를 잘 갖춘다면 이들을 불러들이지 못할 이유가 없다. 그러면 양양국제공항도 일익을 담당하지 않겠는가.

해양 레저 활성화를 위해 백화 현상을 겪는 바다 정화 활동을 활발히 해야 한다. 불가사리, 성게, 폐그물 등 오염원을 제거하고 우리 환경에 맞는 산호초를 육성하는 게 좋다. 인공 산호초를 활용하는 것도 한 방안이다.

동해 바닷속에는 동남아시아 같은 산호초가 없다. 그래서 스쿠버다이빙 같은 바닷속 레저에 불리한 게 사실이다. 하지만 더 연구하면 단점을 극복할 방안이 있다. 요르단에서는 바닷속에 연한이 다 된 47m 여객기를 빠뜨렸다. 여기에 물고기가 모여 놀고 산호초가 자라는 새로운 생태계가 조성된다고 한다. 이에 앞서 헬기와 탱크, 장갑차도 수장시켰다. 이런 방안을 우리도 구체적으로 연구해서 독특한 수중 공간을 창조하는 게 좋겠다.

숙박 시설을 잘 갖춘 선박을 바다 한가운데 띄운 해상 호텔도 검토할 만한 아이디어이다. 크루즈와 다른 점은 이 배는 거의 움직이지 않는다는 것이다. 망망대해 위에서 창연한 바다와 별빛이 쏟아지는 하늘을 바라보며 보내는 하룻밤은 두고두고 잊지 못할 추억을 선사할 것이다. 이 사업을 구체적으로 추진하겠다는 계획을 밝힌 사업자가 있다고 알고 있다.

정주형 관광 모델

관광 자원을 숙박형에서 정주형으로 이동시키는 데도 관심을 가져야 한다. 설악권 관광객 수는 늘었지만, 관광 소득이 낮아진 것은 관광객들이 스쳐 지나가기 때문이다. 하루나 이틀을 묵고 가는 게 전부다. 호텔과 리조트 등 단순 숙박 시설은 풍부하다. 이에 더해 오래 머물며 쉬거나 공부하는 정주형 공간을 창조할 필요가 있다. 속초·고성·양양에 기업 연수원이 많다는 사실은 정주형 모델의 성공 가능성이 크다는 점을 잘 보여준다.

현대인들에게는 일정한 기간 분주한 일상생활과 단절한 채 자연 속에서 휴식을 취하며 마음을 가다듬고 새로운 계획을 다지려는 욕구가 내재해 있다. '제주도 한 달 살기' 등이 유행하는 것도 이런 이유이다. 또한 자발적으로 고립되어 집필이나 창작에 몰두하려는 작가와 예술가들도 꽤 많다. 이들은 마라도 창작 스튜디오 같은 공간을 찾는데, 수요보다 관련 시설이 태부족인 형편이다.

속초·고성·양양에는 정주형 관광 자원을 개발한 공간이 이미 충분하다. 수학여행 성지였던 화려했던 모습을 잃고 쇠락해가는 설악동은 어떤가? 설악동은 자연 속에서 쉼을 얻고 활력을 되찾으며 무엇인가에 몰두하기에 좋은 곳이다. 난개발의 잔재와 흉물스럽게 방치된 시설을 깨끗하게 정비하고 특색 있는 친환경 개발을 한다면 이색적인 공간으로 재창조되어 다시 사랑받게 될 것이라 믿는다.

산과 바다를 가르치는 교육 도시

사라진 대학들

설악권의 몇 안 되는 고등교육기관이 문을 닫고 있다. 2008년 가톨릭관동대학교 양양캠퍼스가 폐쇄되었고, 한때 학생 수가 5,000명에 달하던 속초의 동우대학도 2013년 폐교했다. 경동대학교 글로벌캠퍼스만 남은 상태이다.

지역의 대학이 사라지는 것은 전국적으로 공통된 현상이다. 인구가 감소함에 따라 학생 수가 줄어들었고, 학생들의 서울과 수도권 대학 선호가 뚜렷해졌기 때문이다. 높은 경쟁력을 갖지 못한 중소 도시 소재 대학들은 신입생을 받아들이며 명맥을 이어가는 것

천혜의 자연환경은 차별화된 교육 도시로 발전할 강점이다.

조차 힘겨운 상황이다.

중소 도시 대학은 지역 사회에서 의미 있는 역할을 담당해왔다. 지역 학생들의 고등교육을 담당하여 젊은이들이 다른 곳에서 빠져나가는 것을 막고 다른 지역 학생들을 불러들여 정주 인구를 늘리는 기능도 했다. 대학가 주변에 상권도 형성되었다. 더 나아가 지역 산업과 연계한 연구 개발 중심지 역할을 하는 곳도 있다.

속초·고성·양양의 대학들이 이런 기능을 회복하고 지역 사회와 연계해 발전하도록 하는 것이 정치의 역할이라고 생각한다. 폐쇄 후 방치되다시피 한 가톨릭관동대학교 양양캠퍼스는 플라이강원이 국제항공운송사업 면허를 취득해 활성화되면서 새로운 전기를 맞이할 것으로 보인다. 항공 관련 학과 중심으로 학교를 되살릴 수 있을 것으로 보인다. 그동안 폐쇄된 캠퍼스를 놓고 지역 사회와 가톨릭관동대학교 재단이 갈등의 골을 깊게 만들어왔다. 어렵게 마련된 계기를 잘 살릴 방안이 마련되어야 할 것이다.

특성화 중심의 발전

나는 지역 대학이 활력을 찾을 방법은 특성화와 차별화라고 생각한다. 비슷비슷한 교육 내용을 가진 대학끼리의 경쟁에서 지역 대학은 뒤처질 수밖에 없다. 하지만 독특한 교육 과정과 높은 졸업생 취업률을 가진 대학은 지역에 있더라도 경쟁력이 높다.

경상남도 거창군은 인구 6만 명이 조금 넘는 지역이다. 그곳에서 1996년 경남도립거창대학이 개교했다. 경상남도가 운영의 주체이기 때문에 이 학교는 비교적 탄탄하게 발전해왔다. 그런데 거창 지역에 또 다른 대학의 설립이 계획되었다. 한국폴리텍VII대학이 캠퍼스 부지를 확보했다. 거창군과 주변 지역 인구를 고려해볼 때 두 대학이 안정적으로 발전하는 것은 어려워 보였다. 그래서 선택한 것이 특성화이다. 한국폴리텍대학은 캠퍼스 부지를 무상 양도함으로써 한국승강기대학이 설립되도록 했다. 이 학교는 5개 학과에서 승강기 설계와 제어, 보수를 전문적으로 교육해 높은 취업률을 기록했고 학생들의 선호를 불러 모았다.

속초·고성·양양에서도 이와 비슷한 모델로 대학을 설립하거나 유치하는 것이 효과적이며 지역 사회에 긍정적인 영향을 끼칠 수 있다.

우리 지역의 장점을 바탕으로 삼아, 수도권이나 다른 지역에서는 넘볼 수 없는 독자적인 영역을 구축함으로써 강력한 경쟁력을 가질 수 있을 것이다. 산과 바다라는 천혜의 자원이 그 무기이다.

관심을 두고 연구한 결과, 우리 지역 대학에서 산악 등정, 클라이밍, 캠핑, 산악 구조 등 산악 레저 스포츠와 요트, 서핑, 제트스키,

스쿠버다이빙 등 해양 레저 스포츠 관련 전문 인력을 육성한다면 발전 가능성이 매우 크다는 것을 발견했다.

레저 스포츠 분야는 세계적으로 발전하는 추세이다. 앞으로 전문가의 수요가 더 늘어날 것이다. 이에 비해 아직 교육 기반은 약하다. 속초·고성·양양은 이런 틈새를 파고들 충분한 잠재력을 보유하고 있다. 담대한 포부를 품고 추진한다면 이런 특성화 대학을 중심으로 국내는 물론 세계적인 레저 스포츠 교육 도시로 발전할 수 있다. 수도권과 다른 지역, 그리고 세계에서 우리 지역으로 유학생이 몰려들게 된다는 뜻이다.

대학의 재건, 유치, 신설 등은 기존 캠퍼스 부지의 소유자인 대학 재단, 지방자치단체, 지역 사회, 교육부 등 중앙 부처와 긴밀히 협의하고 갈등을 조정해서 합의점을 찾아야 추진할 수 있다. 높은 수준의 정치력이 요구되는 일이다. 더 큰 정치적 영향력을 확보하여 우리 지역을 산과 바다 중심의 특성화 교육 도시로 발전시키고 싶다.

대안 교육 활성화

앞에서 지역의 관광 발전을 위해서 정주형 모델의 개발이 시급하다고 이야기했다. 정주형의 대표적인 분야 중 하나가 교육이다. 정해진 교육 기간에 지역에 머물며 생활하게 되기 때문이다. 산과 바다라는 천혜의 요건을 갖춘 속초·고성·양양은 중·단기 프로그램을 운영하는 교육 시설을 운영하기에 최적지이다. 기업 연수원이 많이 들어선 것은 우리 지역이 교육적 가능성을 보여주는 사례이다.

이미 등산학교가 운영 중이고 세계잼버리장이라는 좋은 시설도 있다. 캠핑, 단기 연수, 청소년 인성 교육, 주 4일 근무 니즈를 활용한 주말 집중 강좌, 귀농 귀촌 연수 등 다양한 교육 프로그램을 활성화할 수 있다. 이 부분에 관심을 갖는다면 지역의 다른 영역과 시너지를 발휘할 수 있을 것이다. 이와 별도로 대안학교 설립도 고려해봄 직하다.

상생 설악시의 비전

흩어져 약해진 힘

속초·고성·양양은 과거의 영광을 그리워하며 쇠락해가는 분위기이다. 이 침체를 극복하고 미래를 향해 비상하기 위해 다양한 노력을 전개해야 할 것이다. 나는 속초·고성·양양이 하나의 행정구역으로 통합하는 것이 그 강력한 방안 중 하나라고 생각한다.

통합 도시로 되면 행정이 분산되는 비효율을 극복하고 예산을 끌어오거나 공공기관이나 기업을 유치하는 데 매우 큰 이점을 볼 수 있다고 본다. 지금처럼 흩어져 각자도생한다면 힘을 발휘하기가 어렵다.

현재 설악권의 중심 기능이나 주거, 편의 시설 등이 속초로 집중되는 과밀화 현상이 나타나고 있다. 전 고성군수는 속초에 주소를 둔 사람은 인사 고과에서 감점하겠다고까지 발표했다. 이해할 만한 일이다. 속초는 상대적으로 아파트와 대형 쇼핑 시설, 영화관 등 주거 여건이 뛰어나다. 고성군의 공무원까지 속초시에 빼앗기는 건 불가피한 일이다. 하지만 속초는 더 뻗어나갈 공간이 없다. 비교적 땅이 넓은 이웃의 양양, 고성과의 강력한 연계가 필요하다.

고성군과 양양군은 고령화가 심각한 지역이다. 강원도는 다른 광역시도보다 고령화율이 높다. 그런데 고성군과 양양군은 65세 이상 인구 비율이 각각 26.4%와 27.6%로 도내 최고 수준이다. 이 지역에서 아기 울음소리가 사라진 지 오래다.

이러한 인구 감소 현상이 계속 된다면 앞으로 30년 후 기초단체의 기능을 상실해 인근 지방자치단체와 통폐합을 하는 경우가 생길 수 있다는 한국고용정보원 연구 결과가 나왔다. 이런 지방자치단체 소멸 예상 지역에 우리 지역 양양군과 고성군이 포함되었다. 2020년이면 인제군도 포함이 된다. 지역이 활력을 잃을 뿐 아니라 독립적 지방자치단체로서 존립 자체가 위험한 수준이 되고 있다.

이런 상황에서도 통합을 거부하고 지역 이기주의와 현실의 이해관계에만 매몰되어 스스로 갇혀 있다. 우리의 자녀와 손주들인 미래 세대가 더 좋은 환경과 조건에서 고향의 번영을 이루기 위해서는 우리 세대의 엄중한 고민과 책임감이 필요하며 이 사명에 적극적으로 임해야 할 것이다. 지방자치단체와 전문가 그리고 시민들이 함께하는 큰 틀의 장을 만들어 국내외 사례들을 연구하고, 이를 바탕으로 우리 설악권에 합리적인 방안을 모색해야 할 것이다.

5년 후 10년 후도 좋다. 우선 통합을 전제로 대화하기보다는 상생 발전을 모색하는 차원의 협의체를 구성하기를 바란다. 현재의 4개 시군 상생발전협의회의 모델을 관과 전문가가 참여하는 체계로 만들면 좋겠다.

그러나 아직도 '물' 문제나 통합시 명칭이나 시청 소재를 어디에 두는지 등 작은 이해관계가 통합의 걸림돌이 되고 있다. 이런 사안이 우선된다면 한 발짝도 진전될 수 없다. 이러면 다 망한다는 절체절명의 위기의식을 갖고 상생해야만 한다는 목표를 중심으로 미래 지향적 자리를 만들 것을 제안한다.

감성적 거부감 극복

속초의 물 부족 문제는 어제오늘의 일이 아니다. 쌍천 지하댐으로 대부분의 용수를 공급하고 학사평 계곡물을 정수해서 쓰고 있지만, 속초시 인구와 대형 호텔과 리조트, 연수원 등에서 사용하는

편견과 갈등에서 벗어나 미래를 바라본 통합 논의를 시작해야 한다.

용수량이 계속 증가해서 어려움을 겪고 있다. 현재 제2 쌍천 지하댐, 해수 담수화 등의 계획이 추진되면 문제가 일부 해결되겠지만, 가뭄 때는 제한 급수 등의 불편이 언제든 다시 생길 수 있다.

그런데 고성과 양양의 물 사정은 좋다. 속초는 이들 지역에 도움을 요청해왔다. 고성은 댐 수위를 높여 저수량을 늘릴 수 있고 양양에서 바다로 방류되는 물줄기 일부를 돌려 속초의 상수원으로 향하게 할 수 있기 때문이다. 여기에 드는 비용을 속초시가 부담하겠다고 했다. 하지만 지역 간 이견과 갈등으로 이런 협력이 이루어지지 않았다. 속초시는 수백억 원의 예산을 따로 집행해 독자적으로 물 문제에 대응할 수밖에 없는 형편이다.

지금도 속초·고성·양양의 통합 논의가 나오면 고성과 양양 어르신 중에는 "속초가 물이 부족해서 저런다. 물만 쏙 빼가고 우리 지역에는 신경도 안 쓸 거다"라고 말하는 분들도 있다. 물 문제가 통합의 필요성을 느끼게 한 계기는 되었지만, 통합의 중요한 이유는 아니다. 이미 속초시가 별도의 대책을 마련해 추진 중이기 때문이다.

물 문제는 이웃 지역 간 감정적 거부감과 갈등이 어떤 비효율을 초래할 수 있는지 보여주는 사례이다. 이보다 훨씬 힘든 통합을 위해서는 이런 감성의 문제를 잘 극복해야 한다.

'속초가 고성과 양양을 흡수하려 한다'는 게 가장 큰 편견이다. 사실 속초시는 양양군의 일부였다. 1963년 양양군 속초읍이 속초시로 승격된 역사가 있다. 과거 한 지역이었던 곳이 더 커져 다시 통합을 이야기한다면 지역적 자존심이 상하고 감정적 거부감이 일어날 수 있다. 이런 점을 충분히 이해해야 한다.

통합은 지역의 독자성과 고유성, 역사와 문화, 정서를 존중하고 잘 보존하면서 외연을 확장하는 행정적 통합의 측면에서 고려되어야 한다. 다양성이 어우러지는 통합이 되어야 한다. 한 지역이 다른 지역을 흡수하는 방식이 되어서는 안 된다. 이런 오해가 생기지 않도록 철저히 고려해야 한다. 통합 도시의 이름이 양양이면 어떻고 고성이면 어떤가? 다만 흡수한다는 느낌이 생기지 않도록 '설악시'가 좋을 것 같다.

각각의 기초단체로 존재할 때의 기관이나 시설이 통합됨으로써 이해관계가 불리해지거나 기반을 잃을 가능성이 있는 사람들의 상황도 헤아리는 세심한 마음가짐도 요구된다.

통합 논의를 시작하자

감성적 거부감으로 통합 논의 자체를 거부하는 것은 속초·고성·양양의 절박한 현실로 볼 때 바람직하지 않다. 편견과 갈등에서 벗어나 미래를 바라본 통합 논의를 시작해야 한다.

행정구역 통합은 길고 지루한 과정이다. 동광양시와 광양군, 청원군과 청주시, 마산시와 진해시, 창원시의 통합 과정을 살펴보면 통합의 어려움을 짐작할 수 있다. 그러나 어렵고 힘들다고 해서 뒤로 물러나서는 안 된다.

이제 논의를 시작해야 한다.

여론을 파악하고 타당성과 방향에 관한 연구를 시작해야 한다. 전문가와 지역 주민이 숙의하고 조율하는 과정도 충분히 거치는 게 옳다. 통합으로 지역이 활력을 얻고 침체한 경제를 회복하고 발전을 위한 교두보를 닦을 수 있는지를 실질적으로 고민하고 연구하며 방향을 잡아봐야 한다.

그 결과 통합의 효과가 약하고 부작용만 크다는 결론이 나오면 그때 포기해도 된다. 지금부터 지레 겁먹고 말도 꺼내지 않는 건 미래를 포기하는 것이나 마찬가지다.

이 일은 통합의 직접적 이해당사자인 속초·고성·양양의 시장·군수가 쉽게 추진할 성격이 아니다. 지역 전체를 정치적으로 아우르는 국회의원이 앞장서는 게 적합하다. 지역 이기주의에 편승해 표만 의식하는 행위는 직무유기라 생각한다.

나는 이 원대한 비전을 이루는 데 결정적인 역할을 맡고 싶다. 속초·고성·양양이 통일 시대를 이끌어갈 설악권의 강력하고 아름다운 통합 도시로 재탄생하는 데 산파가 되려 한다.

설악권 디즈니랜드의 비전

지역 랜드마크의 필요성

속초·고성·양양이 한국을 대표하는 관광지로서 지위를 잃게 된 이유 중 하나는 인상적인 랜드마크가 없기 때문이라 생각한다. 랜드마크는 그 지역을 대표하는 상징물이다. 주로 인위적인 건축물이다. 서울의 숭례문과 남산 N서울타워, 베이징의 만리장성, 런던의 타워브리지와 빅벤, 파리의 에펠탑과 개선문 등이 대표적인 랜드마크이다.

랜드마크에는 그 지역의 역사와 스토리가 담기는 게 일반적이다. 하지만 역사적 배경 없이도 새로 조성한 시설물이 랜드마크가 될 수 있다. 일본 오사카는 유니버설스튜디오를 새로운 랜드마크로 삼았다. 세계의 젊은이들은 오사카를 일본 역사의 중심지보다는 유니버설스튜디오가 있는 곳으로 기억한다. 하지만 유니버설스튜디오 때문에 오사카를 찾은 사람들은 자연스럽게 다양한 유적지를 접하고 료칸을 경험하며 도시의 매력을 느끼게 된다.

이처럼 랜드마크는 그 지역 관광의 허브가 되어 관광객들을 끌어들여서 지역 전체의 관광을 활성화시키는 기능을 한다. 우리에게는 아름다운 설악산이 있지만, 이는 자연환경이기에 현대적 랜드마크로 삼기에는 한계가 있다.

나는 설악과 동해의 절경과 어우러져 사람들의 머릿속에 속초·고성·양양을 각인시킬 랜드마크에 대해 관심을 가져왔다. 훌륭한 랜드마크가 생긴다면 천혜의 자연환경이라는 인프라와 조화를 이루며 강력한 시너지를 낼 것이기 때문이다.

다각도로 연구하면서 대형 테마파크가 적합하다는 결론을 얻었다. 그러나 놀이기구 몇 개 갖다놓은 어중간한 테마파크로는 전혀 경쟁력이 없다. 관광객을 압도할 만한 규모를 갖추어야 하며 강력한 브랜드가 있으면 더 효과적일 것이다. 나는 디즈니랜드가 가장 좋을 것이라는 생각이 들었다.

디즈니랜드와 같은 랜드마크는 관광 발전의 구심점이 될 수 있다.

디즈니랜드 유치

디즈니랜드는 세계적인 엔터테인먼트 기업 월트 디즈니가 미국 캘리포니아에 세운 초대형 테마파크로 세계에서 가장 많은 관광객이 찾는 장소 가운데 하나이다.

우리나라의 에버랜드 등 세계 각국의 테마파크는 디즈니랜드를 모델로 삼았다.

아시아에는 도쿄와 홍콩에 디즈니랜드가 있다. 그리고 2016년 상하이에 디즈니랜드가 새롭게 문을 열었다. 도쿄와 홍콩, 상하이의 디즈니랜드의 관광객 유치 효과는 엄청나다. 디즈니랜드 하나만으로 그 도시 여행을 감행하는 사람이 꽤 많을 정도이다. 한국에서 홍콩으로 여행 가는 젊은이들 상당수는 딱 두 가지만 한단다. 쇼핑과 디즈니랜드에서 놀기.

디즈니 본사는 한국에서의 디즈니랜드 건설을 검토한 적이 있다. 유력 지역은 경기도 과천시였다. 서울과 접한 곳이며 지하철 등의 교통망이 발달한 것을 최대 장점으로 보았다.

하지만 인근에 에버랜드와 롯데월드가 있는 상황에서 수익성 실현이 가능할지가 회의적이었고 이 때문에 상하이로 방향을 선회했다고 한다.

관련 내용을 검토하면서 속초·고성·양양 지역에 디즈니랜드 유치 현실성이 충분히 있음을 발견했다. 이미 천혜의 자연환경과 관광 인프라를 가지고 있다.

산과 바다의 아름다운 자연환경 속에서 테마파크를 즐길 수 있는 몇 안 되는 장소이다. 주변에 에버랜드 같은 대형 테마파크가 없는 점도 경쟁력을 높여준다.

수도권과의 대중교통 연결성이 가장 큰 난관이지만 유치와 건설 기간에 동서고속화철도가 준공된다면 수도권에서 사람을 실어 나르는 데 효과적이다.

양양공항도 활용할 수 있다. 지방과 외국에서 오는 관광객들을 운송하는 데 역할을 담당할 수 있다.

디즈니랜드나 그와 맞먹는 테마파크를 유치한다면 속초·고성·양양 발전의 중심축이 될 것이다. 관광 산업 발전, 일자리 증대, 양양공항 활성화 등 여러 과제가 맞물려 발전할 수 있다.

상하이 디즈니랜드가 건설된 과정을 보면 이것이 결코 만만치 않음을 잘 알 수 있다.

먼저 월트 디즈니 본사를 설득해 결심을 이끌어야 한다. 지역의 잠재력과 정부와 지방 행정과도 긴밀한 협력과 공조가 필요하다. 상하이 디즈니랜드 유치와 건설에는 상하이시는 물론 중국 정부의 역할이 주효했다. 대기업과 지역 기업과의 연계도 탄탄하게 구축해야 한다. 정치와 행정, 기업의 협조 체제가 필요하다. 즉 강력한 정치력이 필요하다.

디즈니랜드 같은 강력한 랜드마크를 만들어 지역 발전의 중심축을 세우는 것은 내가 국회에 들어가고 싶은 큰 이유 중 하나이다.

부록

내가 만난 이동기

내가 본 기억 세 가지,
'사람' 이동기를 만나다

고상만(인권운동가)

기억 첫 번째

제가 이동기 위원장을 처음 만난 때는 1993년 어느 날 봄이었습니다. 그러니까 햇수로 따지면 어느덧 지금으로부터 근 27~8년 전의 일이 됩니다.

대학 신입생으로 갓 들어온 새내기. 자그마한 체구에서 뿜어져 나오는 열의와 열정이 마치 거인처럼 컸던 후배. 제가 기억하는 이동기 위원장의 첫 느낌은 그랬습니다.

우리 사회의 부조리하고 합리적이지 못한 불의에 참지 못하는, 그래서 다른 누구보다 정의로웠던 제 운동권 직속 후배. "왜 아직도 저런 문제가 해결되지 않냐"며 따지듯 묻던 그 후배의 열정에 솔직히 고백하자면 처음에는 귀찮을 지경이었습니다. 그래서 한편으로는 '과연 저런 열정이 며칠이나 갈까' 싶었습니다. 너무 뜨거우면 깨지기도 쉬운 일이니 말입니다.

기억 두 번째

그런 이동기 위원장에 대한 두 번째 기억은 그 후 시간이 흘러 1995년 어느 뜨거운 여름의 끝자락 만남입니다.

그때 저는 이동기 위원장과 학교가 아닌 다른 곳에서 만나야 했습니다. 다름 아닌 '감옥 안' 철창 안에 갇힌 이동기 위원장이었습니다. 그는 학생운동가로서 입으로만 정의를 외친 학생이 아니었습니다. '불의에 맞서 행동하던 사람', 이것이 제가 기억하는 이동기 위원장의 두 번째 모습입니다.

이동기 위원장이 영어의 몸이 된 이유는 이렇습니다. 아시는 것처럼 1979년 12·12 군사반란을 통해 전두환 신군부는 대한민국의 헌정 질서를 유린한 채 권력을 찬탈했습니다. 대한민국 헌법을 유린했고 민주주의 기본 원리인 국민의 다수 뜻을 저버린 것입니다. 그런 방식으로 소수의 정치군인이 쿠데타로 권력을 빼앗아간 것입니다. 이에 항거하기 위해 일어난 항쟁이 저 1980년 5월의 함성이었습니다. 그러나 전두환 신군부 세력은 국민에게 총을 겨눴고 결국 많은 이가 억울한 죽임을 당해야 했습니다.

1995년은 바로 그러한 전두환 신군부 세력에 대해 처음으로 국민이 단죄하고자 일어선 역사적인 시기였습니다. 전국 각지에서 양심적인 학생과 시민들이 일어나 전두환 신군부 세력을 처벌할 수 있는 특별법 제정을 요구했습니다. 이를 통해 늦었지만 이제라도 전두환 신군부 세력의 범죄를 국민의 이름으로, 대한민국의 명령으로 단죄해야 한다고 나선 것입니다.

그때 강원도 속초의 이동기 위원장 역시 가만있지 않았습니다. 특별법 제정에 미온적인 당시 집권 여당의 당사에 젊은 청년의 기상으로 분노를 표시한 것입니다. 이것이 그가 영어의 몸이 된 이유입니다.

당시 서울의 재야 인권단체에서 변호사 21명과 함께 인권운동가로 활동하고 있던 저에게 연락이 온 것도 바로 그때였습니다. 이동기 위원장이 5·18 특별법 제정을 반대하는 정당의 당사에 항의하던 중 구속되었다는 소식을 듣고 저는 변호사 두 분을 대동하고 속초로 내려왔습니다. 시대의 정의를 지키고자 나섰다가 억울하게 구속된 그에게 작은 응원이라도 해야겠다는 생각 때문입니다.

그래서 마주하게 된 철창 안에 갇힌 당시 이동기 위원장의 모습.

저는 그때 그에게서 '두 번째 거인의' 모습을 보았습니다. 자신의 안위보다 먼 곳에서 찾아와 준 사람에 대한 미안함과 고마움을 담은 따뜻한 미소. 이동기 위원장의 담대함에 저는 그가 제 후배임이 자랑스러웠습니다. 그 자랑스러움이 여전히 저의 기억 속에 가득합니다.

기억 세 번째

그랬습니다.

감옥에서 나온 이후에도 이동기 위원장의 삶은 한결같았습니다. 제가 아는 사람, 이동기 위원장의 행보는 오직 하나입니다. 보다 정의로운 세상을 만드는 것, 그리고 보다 공정한 세상을 통해 차별 없는 세상을 만드는 것. 그리고 가장 중요한 마지막 하나는 자신이 태어났고 살아왔으며 앞으로도 살아갈 강원도를 위해, 속초와 고성, 양양의 사람들과 함께 '더불어 살아간다는' 것입니다.

걸어온 발걸음 역시 어지럽지 않았습니다. 2000년부터 지금까지 반부패국민연대 속초·고성·양양 본부의 사무국장으로 헌신했습니다. 그 후에는 노무현 대통령 시절 청와대 비서실 행정관으로 강원도와 속초·고성·양양의 크고 작은 민원 해결을 위해 분주했습니다.

그리고 이를 위해 더 큰 권한을 갖고자 그는 대한민국 국회의원 선거에 도전했습니다. 진심을 다해 노력했습니다. 권력이 아닌 권한으로 세상을 바꾸고 싶다고 그는 늘 나에게 말했습니다. 하지만 바꾸고 싶은 꿈만큼 현실에서의 한계도 작지 않았습니다. 그가 바꾸고 싶은 세상에 대한 기회는 쉽지 않았습니다.

하지만 거인은 쉽게 포기하지 않습니다. 이제 다시 또 새로운 도전을 하려는 그에게 이제는 기회가 이어지기를 저는 소망합니다. 개인이 누리는 권력으로서의 자리가 아니라 이동기 위원장을 필요로 하는 이들에게 더 큰 힘이 되어줄 수 있도록 저는 새로운 시작을 응원합니다.

지난 27년간 제가 지켜봐 온 이동기 위원장이기에 누구보다 분명히 말할 수 있습니다.

그는 정직한 사람입니다. 속된 말로 아무것도 없던 20대 청춘, 그 때로부터 지금에 이르기까지 그는 한결같이 속초·고성·양양과 함께해왔음은 여러분도 잘 아는 일이 아닌가요! 그런 이동기 위원장에게 더 많은 일을 할 수 있도록 힘을 넣어주십시오. 그러면 그 힘이 다시 또 여러분을 위해 아낌없이 쓰일 것입니다.

이동기 위원장은 그런 사람이기 때문입니다.

그를 응원합니다.

작은 거인 이동기

최종현(속초시의회 의장)

작은 거인 이동기, 그는 후배이자 벗입니다.

그에게선 속초의 바다 향이 묻어납니다.

사람을 잘 챙기는 따뜻한 마음을 가진 사람.

호탕하게 웃는 모습이 입가에 미소를 번지게 하는 사람.

늘 한결같은, 담백한 사람입니다.

1996년 대학생 시절 첫 만남이 생각납니다.

학교생활을 충실히 하던 저에게 어느 날 찾아와 말했습니다.

"최종현 씨! 민주주의와 학교 발전을 위해 총학생회장에 출마를 고려해보십시오!"

그렇게 인연이 시작되었습니다.

저와 닮은 면이 많아 단박에 함께할 수 있는 친구라는 것을 알아챘습니다.

함께 사업을 하며 서로의 미래를 고민하던 시절, 국가의 발전과 지역 사회를 위해 속초를 떠나 2006년 청와대로 가겠다고 했을 때도, 아쉽지만 그를 놓아줄 수밖에 없었습니다.

고난을 극복하며 고향 속초에서 정치인으로 오직 한길로 활동해 온 그는 오랫동안 어려운 이웃들의 고단한 곁을 살피며 시민 단체 활동을 비롯해 지역 사회의 성장과 발전을 위해 분투하며, 올곧게 정치의 길을 만들어가고 있습니다.

2005년 러시아 블라디보스토크로 함께 떠난 10박 12일의 배낭여행!

시베리아의 혹독한 겨울바람을 맞으며 서로에게 다짐했던 약속!

"우리는 원칙을 지키며 살자!"

저의 든든한 동지이자 속초의 자랑, 이동기 위원장이 지금껏 그랬던 것처럼 앞으로도 기본이 바로 선 정치, 시민의 삶을 위한 정치를 잘하실 것이라고 굳게 믿습니다.

어느덧 속초, 강원도와 중앙에서 활동하며 주목받는 정치인으로 성장한 그를 봅니다.

세월이 흘러도 변하지 않는 게 있습니다.

신뢰입니다.

그를 믿습니다. 좀 더 따듯한 세상을 만들려는 그의 의지를 믿습니다.

언제나 예의 바른 그는 늘 유순한 얼굴로 인사를 건넵니다.

하지만 그는 속이 강한 사람입니다. 마음의 근육이 탄탄한 사람입니다.

그는 자랑스러운 후배이자 벗인 이동기입니다.

그의 앞길에 언제나 환한 빛이 가득하길 소망합니다.

속초를 대표하는 정치인 이동기 위원장의 더 크고 넓은 전진을 기대합니다.

내가 아는 이동기를 기억하며 그리고 내가 바라는 이동기를 기약하며…

하태국(서울 포근한맘요양병원 원장)

제가 아는 이동기는 초등학교 시절로 돌아갑니다. 우리는 영랑초등학교 입학 졸업 동기입니다. 소년 이동기는 영랑동 일구(一區) 시장 쪽 바닷가에 살았고, 우리 집은 초등학교 바로 위였으니 고만고만한 촌구석의 아이들이었습니다.

운동장에서 공차기하고 야구하고 바닷가에서 낚시하고 여름이면 하루 내내 수영하고…. 그저 소박하고 천진난만한 아이들이었습니다. 그중에서 이동기는 키는 작지만 목소리가 우렁차고 자기주장이 강하며 정의감도 센 한편 유머러스하기도 해서 항상 친구들을 주변에 몰고 다녔던 반짝이는 조약돌 같은 친구였습니다.

초등학교 졸업 후에는 학교가 달라 격동의 청소년기를 함께 겪지는 못한 채 중고등학교 시절을 보내고 대학 시절이 지나가고 있었습니다.

아마 그때가 1996년 봄이었던 같습니다. 저는 의과대학생이었고 대학로 캠퍼스 동아리방에서 지겨운 시험공부에 매달리고 있었습니다. 그런데 대학로에서는 대학생들이 사회 정의를 외치며 데모 행진을 하고 있었습니다.

그 당시에는 사회의 변화를 이끄는 데 있어서 학생운동의 역할이 매우 컸으며, 학생운동을 하는 대학생들은 사회의 부조리와 불의를 타파하려 했고, 약자의 편에 서서 사회의 평등을 이끌어내려 했기 때문에 저도 역시 운동권 학생이었습니다.

당장 시험공부가 발등에 떨어진 불이었으나 저는 어느새 동아리방을 나와 데모에 합류해 아스팔트를 한참 뛰어 모 대학 캠퍼스에 도달했습니다. 그런데 그때 수많은 인파 속에서 반짝이는 조약돌이 하나 눈에 들어왔는데 바로 청년 이동기였습니다. 속초 촌놈 둘이 서울 한복판에서 우연히 만난 것입니다. 그때 저는 청년 이동기를 다시 보게 되었습니다. 이동기가 민주화 운동을 하다가 수배도 당했었다는 것을 알게 되었습니다.

청년 이동기는 지난 활동과 능력을 인정받아 노무현 정부 시절 청와대 행정관으로 활약하는 모습을 가까이서 보았습니다. 저는 그때 전공의 시절이라 병원에서 밤늦게 근무를 마치면 청와대 인근에 있는 이동기의 자취방으로 가서 잠자리를 신세 지기도 했고 와이셔츠와 넥타이도 빌려서 출근하곤 했습니다. 청와대 인근 술집에서 늦은 밤까지 술 한잔 함께하면서 한국의 정치 발전을 논했고, 또 우리 지역에 공헌하고자 하는 이동기의 포부를 확인할 수 있었습니다.

이후로도 이동기는 그 의지를 잃지 않고 지역 사회의 발전과 민주화를 위해 끊임없이 노력하는 모습을 보여주었습니다. 보수적인 지역색에 굴하지 않고 최연소 국회의원에 출마하는 대범함과 용기를 보면서 친구 이동기가 존경스럽게 느껴졌습니다. 나는 서울에 있지만, 고향을 지키며 자신의 사리사욕을 위함이 아니라 오로지 고향을 위하여 젊은 시절을 헌신하는 이동기에게 미안한 마음과 함께 커다란 고마움을 느낍니다.

이제 청년 이동기가 더 큰일을 준비하려고 합니다. 제가 멀리서 응원할 수 있는 길을 이동기라는 인물의 진실함을 가까운 친구로서 보여드리는 것입니다. 그 누구보다도 속초·고성·양양 지역을 잘 알고, 가장 오랫동안 헌신해온 정치인이라고 감히 장담합니다.

『이동기의 한길』 출판을 준비하면서 앞으로 어떻게 더 멋지게 헌신할지 열정과 포부를 다졌으리라 생각합니다. 애초의 그 순수함을 잃지 않고 활동해주길 기약하며 타향에서 응원의 메시지를 보냅니다.

이동기의 한길

1판 1쇄 인쇄 2019년 11월 23일
1판 1쇄 발행 2019년 11월 30일

지은이 이동기

펴낸이 최준석
펴낸곳 한스컨텐츠
주소 경기도 고양시 일산동구 정발산로 24, 웨스턴돔 T1-510호
전화 031-927-9279 팩스 02-2179-8103
출판신고번호 제2019-000060호 신고일자 2019년 4월 15일

ISBN 979-11-966920-4-9 03340

이 도서의 국립중앙도서관 출판예정도서목록(CIP)은 서지정보유통지원시스템 홈페이지(http://seoji.nl.go.kr)와 국가자료공동목록시스템(http://www.nl.go.kr/kolisnet)에서 이용하실 수 있습니다. (CIP제어번호 : CIP2019047238)

책값은 뒤표지에 있습니다.
잘못 만들어진 책은 구입하신 서점에서 교환해드립니다.